Y0-ACA-912
ARY
95814
08/2020

Geografía
¿Por qué importa?

Alexander B. Murphy

Geografía

¿Por qué importa?

Traducción de Andrea Saavedra

Título original: *Geography. Why It Matters*

Esta obra ha sido publicada por primera vez en 2018 por Polity Press. Esta edición ha sido publicada por acuerdo con Polity Press, Ltd., Cambridge.

Diseño de colección: Estudio de Manuel Estrada con la colaboración de Roberto Turégano y Lynda Bozarth
Diseño de cubierta: Manuel Estrada
Fotografía de Fernando Madariaga

Calle Juan Ignacio Luca de Tena, 15
28027 Madrid
www.alianzaeditorial.es

ISBN: 978-84-9181-762-8
Depósito legal: M. 36.051-2019
Printed in Spain

Si quiere recibir información periódica sobre las novedades de Alianza Editorial, envíe un correo electrónico a la dirección: alianzaeditorial@anaya.es

Índice

Para
R. Taggart Murphy
mi hermano, amigo y sostén durante toda la vida,
que siempre me ha alentado a profundizar mi reflexión
sobre el mundo que nos rodea

Agradecimientos

El origen de las ideas que se proponen en este libro se remonta a una ocasión en que dirigí un estudio, promovido por el Consejo Nacional de Investigaciones de los Estados Unidos, del cual surgieron orientaciones estratégicas para las ciencias geográficas. Agradezco al resto de participantes de ese estudio la multitud de ideas y de agudas revelaciones que terminaron incorporadas al informe del mencionado estudio y a este libro. Una beca como residente, hace ya unos años, en el Bellagio Center de la Fundación Rockefeller me brindó la oportunidad de madurar mi idea acerca del significado de la geografía, mientras que el compromiso de retornar en el verano de 2017 me dio tiempo para realizar una primera redacción de este libro. En ambas ocasiones conté con la inestimable aportación de ideas y sugerencias de mis compañeros de residencia en Bellagio. No es exagerado decir que el apoyo de la Fundación Rockefeller fue decisivo para la culminación del proyecto.

También estoy agradecido a muchos colegas geógrafos y estudiantes de geografía de la Universidad de Oregón y de otros lugares, que compartieron conmigo ideas y sugerencias. Tengo una particular deuda de gratitud con Patrick Bartlein, Eve Vogel, Mark Fonstad, Jerilynn «M» Jackson, Daniel Gavin, Leslie MacLees, Anna Moore, Craig Colton, Diana Liverman, Carlos Nobre y David Kaplan. Dean Olson se desempeñó como mi asistente de investigación en los momentos finales de la redacción del manuscrito; su contribución y su colaboración en lo relativo a la investigación y a las figuras es invalorable. Agradezco también a mi hermana, Caroline Murphy, y a mi hermano, a quien dedico el libro, su penetrante retroalimentación en ciertas secciones del mismo.

El manuscrito contó con la inestimable contribución de los comentarios de dos revisores anónimos y la valiosa participación de mi editor, Pascal Porcheron. Por último, es inexpresable en palabras mi deuda con Susan Gary, quien, al igual que en tantas otras circunstancias a lo largo de los años, ha permanecido a mi lado durante mi trabajo en este libro.

1. Naturaleza y perspectivas de la geografía

Imagine el lector que pudiera remontar el tiempo hasta los primeros años sesenta del siglo pasado y visitara la región africana del lago Chad. Si así fuera, caminaría junto a uno de los lagos más grandes de África, que baña las costas de cuatro países de muy reciente independencia: Chad, Camerún, Nigeria y Níger. Vería un rico ecosistema en torno al lago, que proporciona el agua y el alimento esenciales para la supervivencia a unos cuantos millones de personas que viven cerca de sus costas. La mayoría de la gente con la que se encontraría dependería de la abundancia piscícola del lago, pero no dejaría de advertir también la existencia de comunidades agrícolas y pastoriles. Puede que oyera relatos acerca de tensiones entre diferentes grupos étnicos, pero nunca de conflicto armado. En sus exploraciones del medio físico próximo al lago encontraría en ciertos lugares importantes superficies boscosas, aunque una vegetación menos densa en otros, debido a la dureza de la larga y seca estación invernal. Se apercibiría asimismo de la fragilidad ecológica de la región, pero se sentiría estimulado por el acuerdo al que han llegado los cuatro Estados que comparten la cuenca del lago Chad para llevar adelante un plan de gestión cooperativa del desarrollo de la región.

Hoy, una visita a la misma zona le produciría una experiencia completamente distinta. Encontraría un lago que ha perdido el 90% de la superficie que tenía en 1960 (lámina 1) y una población piscícola que es apenas una sombra de lo que fuera entonces. Vería una población humana de más del doble que la de la década de los sesenta del siglo pasado, pero con aldeas abandonadas en ciertas zonas y nuevos e improvisados asentamientos en otras. A medida que se desplazase encontraría mucha menos gente que vive de la pesca y mucha más de la agricultura, a la vez que observaría importantes conflictos por el uso de la tierra, derivados de la expansión de la agricultura en terrenos de pastura. Es probable que también advirtiera profundas tensiones entre los distintos Estados que controlan diferentes partes de la cuenca, y, por cierto, entre autoridades estatales y poblaciones locales.

También vería el impacto producido por Boko Haram, movimiento yihadista insurgente de carácter radical que echó raíces en Nigeria del Norte a comienzos de la década del 2000 e instigó una insurrección armada con el propósito de establecer un Estado islámico fundado en los estrictos (hay quienes dirían perversos) principios jurídicos de la *sharia*. El avance de Boko Haram en la región del lago Chad, junto con la respuesta militar de las autoridades gubernamentales autocráticas de la misma (a menudo con apoyo de Occidente), dio como resultado el desplazamiento de bastante más de dos millones de personas y la pérdida de miles de vidas a causa del conflicto o de secuestros, junto con una crisis alimentaria que ha sumido al 20 % de la población de la zona en estado de aguda malnutrición.

¿Cómo podemos comprender lo que ha sucedido en la cuenca del lago Chad (CLC) y su relativa invisibilidad ante la mayor parte del mundo? (A finales de 2017, el *New Yorker* se refería a la CLC como el escenario del más complejo y perturbador desastre humanitario del mundo[1], pese a lo cual, salvo las poblaciones del área circundante y un puñado de organizaciones de cooperación internacional, hay muy poca gente que sepa algo al respecto.) La situación es de una enorme complejidad. Las variaciones de tamaño del lago Chad responden a largo plazo a fuerzas naturales, pero su rápida reducción a finales del siglo XX tiene que ver también con la rápida expansión de la agricultura de regadío en respuesta al crecimiento de la población y la ampliación a gran escala de la comercialización de la agricultura de exportación. Simultáneamente, debido a la letal combinación del cambio climático global derivado del uso de combustibles fósiles en todo el planeta con la contaminación atmosférica que se producía en Europa y que afectó a los patrones de circulación del aire, se agravó la sequía. Además, para muchos habitantes, décadas de gobernanza deficiente y de

1. Véase en general Ben Taub, «Lake Chad: The World's Most Complex Humanitarian Disaster», *New Yorker*, 4 de diciembre de 2017. Disponible en https://www.newyorker.com/magazine/2017/12/04/lake-chad-the-worlds-most-complex-humanitarian-disaster.

marginación económica han dificultado enormemente la respuesta a los cambios resultantes, a la vez que han contribuido a abrir el camino al movimiento Boko Haram, impulsado por un giro más general hacia el radicalismo en Asia Sudoriental y el Norte de África a comienzos de la primera década del siglo XXI. Todo esto tuvo lugar sobre el telón de fondo de un mundo en el que quienes vivían en regiones más beneficiadas prestaron poca atención al Sahel, la región africana semiárida de transición entre el desierto del Sahara y las zonas más húmedas del sur.

No es fácil desentrañar las complejidades en juego en la CLC, pero no es siquiera posible comenzar a entender lo que allí ha sucedido sin tomar en cuenta ciertos fundamentos geográficos.

Es importante tener en cuenta la ubicación y las características del lugar

La evolución que acaba de describirse es el resultado de una conjunción única de circunstancias ambientales y humanas en un lugar particular de la superficie terrestre. No hay ningún otro lugar en el planeta en el que la gente se halle ante igual combinación de los siguientes desafíos medioambientales de origen humano y físico: la disminución de las lluvias desde hace décadas, la perturbación de los flujos tradicionales de personas y bienes derivada de la creación de fronteras políticas y de la dinámica de poder a ello asociada, la combinación letal de insurgencia violenta y respuestas militares e importantes agitaciones como consecuencia de divisiones étnicas locales, el peso de las componendas coloniales y la implicación de gobiernos extranjeros e intereses empresariales en busca de beneficios económicos y ventajas políticas. El hecho es que las particularidades del escenario geográfico revisten una importancia decisiva, tanto para explicar lo que allí ha ocurrido como para evaluar el valor y las limitaciones de la comprensión de conjunto.

El entrelazamiento de los procesos humanos y los físicos

La CLC no afronta solo un desafío ambiental o un desafío humano, sino un reto mixto humano-ambiental. Este reto se pone de manifiesto de diversas maneras. Para citar solo un ejemplo, las fuerzas humanas y naturales que se hallaban tras la reducción del lago Chad en los años setenta y ochenta del siglo pasado crearon las condiciones perfectas para la expansión de la mosca tse-tse, que enfermó a las vacas de las que dependían las comunidades isleñas, lo cual precipitó a su vez una emigración lejos de las islas que perturbó tanto el equilibrio ecológico como el étnico allí donde los migrantes fueron a asentarse. Si prestamos atención exclusivamente a los factores humanos o a los físicos, no podremos entender qué sucedió ni por qué.

Lo que ponen de manifiesto las variaciones espaciales

Para evaluar lo acontecido y qué habría que hacer para abordar la crisis, hemos de documentar y analizar la naturaleza cambiante del paisaje físico y humano de la CLC. Si representamos y evaluamos gráficamente los cambios en la superficie del lago, la vegetación que lo rodea y las pautas de asentamiento mediante la recolección de datos a distancia (teledetección) y sobre el terreno, obtendremos conocimientos cruciales acerca de las fuerzas físicas y humanas que alteran la naturaleza del lago y modifican la vida de las poblaciones de él dependientes. La desnutrición es un problema mucho mayor en ciertas zonas de la CLC que en otras; la observación de dónde este problema es más severo y dónde no lo es tanto (es decir, la observación de sus variaciones en el espacio) puede ayudarnos a comprender quiénes sufren sus consecuencias, por qué, dónde y cómo.

Es preciso mirar más allá de lo local

La crisis de la CLC no es una mera consecuencia de evoluciones locales. Los enfoques simplificadores de la crisis, que se limitan al crecimiento de la población, el conflicto étnico o la gestión de los recursos en la cuenca, descuidan la multitud de maneras en que dicha crisis se ve afectada por circunstancias que tienen origen muy lejos de la región. Las fuerzas humanas y físicas que subyacen a la sequía son impulsadas por procesos a escala global. El orden colonial desembocó en un patrón político que dividió la cuenca en segmentos rivales que encendieron, o al menos avivaron enormemente, las hostilidades intrarregionales. La expansión de la agricultura comercial de regadío intensivo fue impulsada por preferencias de consumo y por arreglos económicos de origen principalmente europeo. El surgimiento de Boko Haram se inspiró en acontecimientos ocurridos en Asia Sudoccidental y encontró un favorable caldo de cultivo en una región que las potencias mundiales tenían marginada desde hacía mucho tiempo. En persecución de sus objetivos geopolíticos, Francia, Estados Unidos y otros países contribuyeron a consolidar el poder de autoridades estatales corruptas; por otro lado, su manera de responder a Boko Haram supuso el coste de innumerables vidas y puso en peligro la estabilidad económica de la región.

Nuestra comprensión, nuestras prioridades y nuestras acciones responden a supuestos geográficos sin examinar

La escasa atención que el mundo exterior ha prestado a los graves problemas de la CLC refleja la extendida tendencia en Estados Unidos, Europa y Asia Oriental a dejar de lado el África Subsahariana. Es difícil imaginar que, en caso de producirse, una crisis de tal magnitud en el sur de Europa fuera objeto de tan poca atención. Paradójicamente, el mero hecho de escribir sobre la crisis como yo mismo he hecho aquí corre el riesgo de reforzar la tendencia, demasiado extendida fuera de África y profundamente preocupante, a considerar el continente entero como zona de desastre, a ignorar su enorme diversidad y a dejarlo al margen de cualquier esperanza. La relativa invisibilidad global de lo que ha sucedido en la CLC pone de relieve el poder de la imaginación geográfica para decidir qué merece atención, dónde se concentran los recursos y cómo se desarrolla la comprensión.

La crisis de la cuenca del lago Chad es extrema, sin duda, pero es un buen ejemplo de las circunstancias que es preciso tener en cuenta cuando se abordan evoluciones en prácticamente cualquier otro lugar del mundo. También ilustra de modo ejemplar la importancia de las perspectivas geográficas para el tratamiento de determinadas cuestiones y problemas. La geografía es una disciplina académica y un tema de estudio que explora –y promueve el pensamiento crítico a ese respecto– cómo está organizado el mundo, los ambientes y los modelos existentes en la realidad o que los seres humanos crean en su cabeza, las interconexiones del medio físico y el humano, así como la naturaleza de los distintos lugares y las diferentes regiones. En resumen, la geografía ofrece una importante ventana crítica a la diversidad natural y a la naturaleza del planeta que alberga a la humanidad.

El atractivo y el poder de la comprensión geográfica

Desde que los primeros seres humanos esbozaron mapas rudimentarios en el suelo, la búsqueda de comprensión geográfica ayudó a dotar de sentido al mundo circundante. Las evaluaciones sistemáticas de la organización y la naturaleza de la superficie terrestre permitieron a los primeros estudiosos imaginar que el mundo era redondo, proporcionaron perspicaces intuiciones acerca de dónde localizar nuevos asentamientos, desarrollar la agricultura y hallar recursos, promovieron la comprensión del funcionamiento del medio natural y, casi literalmente, ayudaron a los seres humanos a encontrar su camino. Con el tiempo, los progresos de la comprensión geográfica permitieron explorar los rincones más remotos de nuestro planeta y entender las interconexiones que vinculan el mundo humano y el biofísico. Lo mismo que muchos otros campos del conocimiento, la geografía ha servido tanto a fines positivos como a negativos: los rapaces adalides del colonialismo utilizaron el conocimiento geográfico para facilitar la explotación de personas y entornos. Sin embargo, sin cierta comprensión de la geografía seríamos incapaces de entender cómo se organiza el mundo y nuestro lugar en él.

La búsqueda de comprensión geográfica tiene su raíz en la curiosidad humana por lugares distintos del propio. Cuando se conocieron mejor las propiedades básicas de la superficie terrestre, la atención se desplazó hacia las informaciones que las disposiciones geográficas podían aportar sobre el planeta. Como ejemplo de estas nuevas informaciones se pueden mencionar las revelaciones que la configuración de las masas terrestres y la disposición espacial de sus formas ofrecen acerca del movimiento de las placas tectónicas, la influencia de las fronteras políticas sobre el acceso a los recursos, la manera en que la organización de las ciudades modela las pautas de actividad de las personas y cómo la localización de los centros de salud y las tiendas de comestibles favorecen a ciertas comunidades y perjudican a otras.

Dado que los escenarios geográficos están en constante evolución –las ciudades se expanden, la gente se va a vivir a otros lugares, los cursos de agua alteran su cauce, el conjunto de las actividades económicas de un barrio cambia– la búsqueda de la comprensión geográfica es inacabable. La importancia de esa búsqueda es cada vez mayor debido al ritmo y la amplitud de los cambios geográficos que se producen en nuestros días en la superficie de la Tierra. En efecto, aumenta el nivel del mar, gran número de especies están a punto de extinguirse, las ciudades explotan por su tamaño y su población, las conexiones entre lugares distantes sufren grandes modificaciones, la gente se desplaza por todo el planeta a un ritmo hasta ahora desconocido, un número cada vez más grande de personas se apiña en lugares de condiciones medioambientales inestables y las desigualdades entre distintos lugares aumentan a una escala alarmante. Un estudio reciente del US National Research Council puso de relieve la manera en que estos cambios afectan a la geografía en estos términos:

> Haley Mooney, ecólogo de Stanford, ha sugerido que estamos viviendo en «la era del geógrafo»: una época en que la disciplina formal de la antigua preocupación de la geografía por la transformación de la organización espacial y el carácter material de la superficie de la Tierra y por las relaciones recíprocas entre los seres humanos y el medio ocupa un lugar cada vez más importante para la ciencia y la sociedad[2].

2. National Research Council, *Understanding the Changing Planet: Strategic Directions for the Geographic Sciences*, Washington, DC, National Academics Press, 2010, p. ix.

La decisiva importancia de la geografía en la era contemporánea resulta clara cuando se piensa en la disponibilidad y el empleo cada vez mayores de mapas y otros tipos de información geográfica para describir, clasificar y analizar cualquier clase de fenómenos. Los sistemas de información geográfica (GIS) son ahora nuevas herramientas básicas en todos los terrenos, de la planificación para emergencias al seguimiento de flujos migratorios. Los sistemas de posicionamiento global (GPS) y los mapas informáticos han pasado a formar parte de la vida cotidiana de la mayoría de las personas en las zonas más ricas del mundo. Acompañar e impulsar estas tendencias implica un cambio masivo en el modo en que muchas instituciones políticas y sociales gestionan la información. Hasta hace muy poco, la mayor parte de la información relativa al mundo se organizaba por temas; hoy se tiende predominantemente a organizarla según criterios de localización de coordenadas geoespaciales (la latitud y la longitud exactas en que algo se encuentra).

Sobre este telón de fondo, no resultan sorprendentes el crecimiento del interés por el estudio de la geografía y la expansión de las oportunidades de trabajo en este campo, ni la adopción de enfoques y herramientas propios de esta disciplina por parte de un amplio abanico de investigadores y estudiosos. Para citar solo unos pocos ejemplos, tanto los ecólogos como los biólogos emplean hoy técnicas geográficas para representar y analizar la distribución de las especies, los científicos sociales muestran un creciente interés en la importancia fundamental que las diferencias entre distintos lugares revisten para los procesos sociales que estudian, está en rápido desarrollo una nueva literatura interdisciplinar en derecho y geografía, aumenta la atención a disciplinas híbridas como la geoarqueología y la geolingüística y, finalmente, los humanistas empiezan a interesarse por la importancia del sentido del lugar a la hora de pensar en uno mismo y en la relación con los demás.

Pese a estos avances, la perspectiva de mayor conocimiento geográfico choca con un considerable desconocimiento público al respecto. Mucha gente considera la geografía como la simple memorización de lugares y localización de hechos, es decir, el mero saber dónde se hallan determinados lugares y conocer algunas de sus características distintivas. No es que el conocimiento de estas cosas carezca por completo de valor, pues permite captar acontecimientos básicos de la superficie terrestre y situarse en relación con otros lugares y otras personas. Pero si toda la argumentación a favor de la geografía se redujera al conocimiento de hechos geográficos seleccionados, se trataría en realidad de una defensa endeble, sobre todo en una época en que treinta segundos en internet bastan para producir una respuesta a la mayoría de los interrogantes relativos a la localización de hechos y a la ubicación de lugares.

Sin embargo, la geografía es mucho más que eso. En esencia, la geografía moderna se ocupa de estudiar la disposición y la naturaleza de la superficie de la Tierra: la organización espacial de los fenómenos que en ella tienen lugar y la interrelación del sistema físico y el humano que conforma sus características, así como la naturaleza y el significado de sus lugares y regiones constitutivas[3]. La figura 1 abre una útil ventana a la orientación fundamental de la geografía. El diagrama señala el compromiso de la geografía con los sistemas ambiental, social y humano-medioambiental (el eje vertical del cubo), su énfasis en lo que puede conocerse de tales sistemas a partir del estudio de lugares, modelos y escalas (uno de los lados de la base del cubo) y el empleo de una variedad de tipos de representaciones espaciales para mejorar la comprensión (el otro lado de la base del cubo).

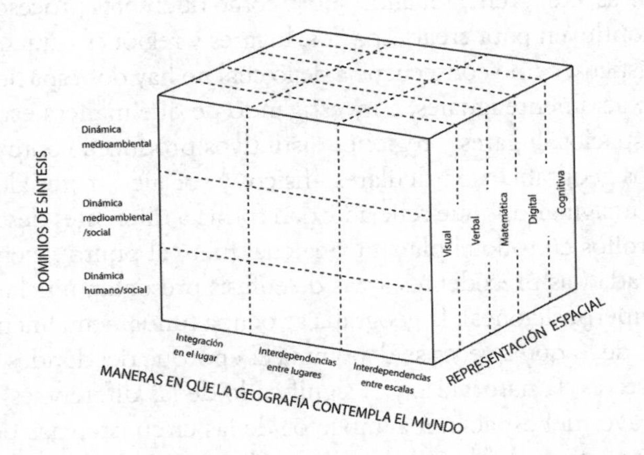

Figura 1: Visualización de los temas, las perspectivas y los enfoques fundamentales de la geografía.

3. Al igual que en la mayoría de los campos de estudio, no hay una definición sencilla y universalmente aceptada de la geografía. Los esfuerzos por lograr una definición concisa han dado como resultado, entre otros ejemplos posibles, «el estudio de espacios y lugares en la superficie de la Tierra», «el porqué del dónde» y «el estudio de la diferencia en los procesos humanos y físicos debidos al espacio». Cada una de estas definiciones tiene sus ventajas y sus limitaciones.

Las perspectivas y las herramientas de la geografía arrojaron luz sobre dónde suceden las cosas, por qué ocurren precisamente donde ocurren y la influencia que los escenarios geográficos ejercen sobre los procesos físicos y humanos. Como parte de ese esfuerzo, los geógrafos prestan atención a la organización espacial de la superficie de la Tierra, explorando qué se puede aprender del estudio de las localizaciones, los modelos y las distribuciones (patrones de sequías, focos epidemiológicos, distribuciones étnicas, etc.), reflexionando sobre cómo diferentes procesos confluyen para crear espacios, lugares y regiones característicos, como consecuencia de lo cual no hay dos espacios exactamente iguales, e investigando de qué manera esos espacios, lugares y regiones distintivos producen contextos geográficos particulares –físicos y sociales, materiales e imaginarios– que reflejan y dan forma a diferentes desarrollos en todo el planeta. Sea cual fuere el punto de entrada (las precedentes áreas de énfasis presentan muchas superposiciones), la geografía se ocupa fundamentalmente de lo que a veces se denomina el «porqué del dónde»[4], esto es, la naturaleza y el significado de las diferencias a través del espacio, los impactos de las circunstancias de base espacial sobre el sistema medioambiental, el social y el humano-medioambiental, así como la influencia del *lugar* donde ocurre una cosa sobre *qué* es lo que ocurre.

Dada esta orientación intelectual, no es sorprendente que los objetos de investigación geográfica lo abarquen

4. No es seguro el origen de la expresión «el porqué del dónde», pero probablemente fue acuñada por Marvin Mikesell, profesor de geografía de la Universidad de Chicago de 1958 a 2017.

todo, de la dinámica de los glaciares a los patrones de migración, de la difusión de pestes en los bosques a la relación entre patrones étnicos y políticos y del sentido del lugar de la gente a las fuerzas que promueven la segregación en las ciudades (por ejemplo, prejuicios sociales y de clase, prácticas de instituciones de préstamo y agentes inmobiliarios o presiones de los procesos de gentrificación). De todo esto se concluye que la mejor manera de concebir la geografía es pensarla como una disciplina cuya unidad reside en un conjunto de perspectivas compartidas y no como un tema de estudio particular, orientación que hace de ella una disciplina más afín a la historia que a muchas otras. Los historiadores se ocupan de todo lo que va de la expansión del antiguo Imperio persa a los impactos sociales del programa de «trabajadores invitados» de la Alemania de mediados del siglo XX. Lo que une a los historiadores no es un tema, sino el interés en comprender la evolución de la historia humana y sus implicaciones para el presente. El equivalente geográfico de esto es el interés en los modelos, desarrollos y lugares que constituyen nuestro planeta: cómo son, qué pensamos a su respecto y cómo influyen en los seres humanos y en la naturaleza.

Raíces históricas de la geografía

Para comprender la naturaleza de la geografía merece la pena observar cómo se ha desarrollado en el tiempo el cuerpo de ideas y de perspectivas a ella asociado. Todas las sociedades han tenido percepciones de su entorno semejantes a lo que ahora llamamos en general geografía, pero el término mismo, así como su práctica institucionalizada en la mayor parte del mundo hoy, es producto de una rama formal de conocimiento que puede remontarse a los antiguos griegos (*geo*, de la palabra griega que significa 'Tierra', y *grafía*, del verbo griego que significa 'escribir'). Cuando los exploradores griegos abandonaron su tierra natal, hace más de dos mil años, y comenzaron a viajar a lo largo de las costas del mar Egeo y del Jónico, para dirigirse luego a tierras más lejanas, encontraron ríos más grandes y más poderosos que cualquiera que hubieran visto hasta entonces, y gentes que hablaban lenguas muy distintas a las propias. Trazaron mapas que mostraban los lugares en los que habían estado y escribieron relatos de lo que habían descubierto. Pero no solo les interesaba catalogar, sino que también se formulaban interrogantes geográficos. ¿Por qué determinadas plantas se encuentran en un lugar y no en otro? ¿Por qué algunos ríos se desbordan todos los años y otros no? ¿Por qué las costumbres difieren en los distintos lugares? ¿Qué emplazamientos son estratégicamente más ventajosos para el desarrollo de las ciudades? Abordar estas cuestiones les permitió desarrollar conocimientos fundamentales sobre la difusión de características biofísicas y culturales, la relación entre precipitación pluvial y comportamiento fluvial, la naturaleza de la Tierra como cuerpo planetario y las ventajas y desventajas de distintos emplazamientos con vistas a futuros asentamientos.

El conocimiento geográfico no solo fue funcional a fines nobles, sino que también facilitó la conquista y la construcción de un imperio en expansión. Lo que en cualquier caso está claro es que, para los griegos, la geografía no era un mero conjunto de localizaciones, sino una disciplina que les ayudaba a dar sentido a su lugar en el planeta gracias a la cuidadosa catalogación *y análisis* de los patrones (tanto humanos como físicos), los lugares y los contextos medioambientales que encontraban. Esta manera de entender la geografía perduró a través del tiempo. Los antiguos romanos se inspiraron en ideas griegas para organizar la información acerca de su imperio en expansión (y para gobernarlo). Tras la caída de Roma, los geógrafos persas y árabes mantuvieron viva la geografía, perfeccionaron los cálculos de la latitud y la longitud y mejoraron la comprensión de la organización y la naturaleza del mundo conocido en la época. El estudio formal de la geografía volvió a Europa central en la Baja Edad Media y comienzos de la era moderna y contribuyó al surgimiento de la Ilustración.

El desarrollo de la geografía en Occidente fue contemporáneo de la aparición de un conocimiento geográfico en constante progreso en otros lugares del mundo, sobre todo en China. El proyecto colonial europeo, sin embargo, aseguró a la tradición occidental el papel más influyente. No cabe duda de que a menudo la práctica de la geografía estuvo dominada por inquietudes mecánicas, al igual que en casi todos los ámbitos del conocimiento. Los romanos son particularmente conocidos por la precisión de sus mapas de nuevas tierras y por sus atlas, los geógrafos musulmanes de la Edad Media por sus elaboradas producciones cartográficas y sus descripciones de tierras de reciente descubrimiento, y los geógrafos europeos del siglo XV al XVII por sus compilaciones de las características de los lugares que la empresa colonial codiciaba. Es innegable la importancia del conocimiento fáctico de la geografía para la creación y el mantenimiento de imperios coloniales.

Sin embargo, a lo largo de los siglos hubo siempre individuos que no solo acumularon información geográfica, sino que formularon perspicaces interrogantes con vistas a la comprensión del mundo que los rodeaba. Uno de los geógrafos romanos más conocidos, Claudio Ptolomeo (100-170 d.C.), no se limitó a reunir hechos geográficos, sino que, por el contrario, propuso ideas acerca de la naturaleza y las consecuencias de los patrones climáticos y desarrolló un sistema reticular para la confección de los mapas que se sigue utilizando aún en nuestros días. Al-Biruni, estudioso musulmán persa del siglo XI, propuso ideas innovadoras acerca de las potencialidades de las distintas zonas de la superficie terrestre como hábitat básico de la vida humana. Los estudios relativos a la configuración de las costas a ambos lados del Atlántico condujeron a Abraham Ortelius, geógrafo flamenco del siglo XVI, a enunciar la hipótesis de que los continentes pudieron haberse separado a partir de una masa común, prefiguración de la «deriva continental», que solo a finales del siglo XX fue objeto de amplia aceptación.

Dada esta historia, no es sorprendente que, con el auge de los modernos sistemas occidentales de educación, la geografía pasara a ser un elemento nuclear del currículo tanto en la escuela primaria como en la secundaria y que se abriera camino en la reorganización que las universidades imprimieron a sus líneas disciplinarias. Estos desarrollos abonaron la aparición de geógrafos académicos que dieron inicio a estudios sistemáticos sobre el funcionamiento del medio físico, las relaciones entre este y los seres humanos, la organización de los asentamientos, la distribución espacial de la actividad económica y los patrones de desigualdad.

El lugar de la geografía en la universidad moderna debe mucho a la influencia y el prestigio de tres alemanes de los siglos XVIII y XIX. Uno de ellos fue Alexander von Humboldt (1769-1859), cuyos detallados análisis de índole geográfica de comunidades botánicas de América Latina proporcionaron el primer conocimiento real de la influencia del medio físico en la vegetación y abrieron el camino a la biogeografía. El otro fue Carl Ritter (1779-1859), quien escribió un tratado de diecinueve volúmenes en el que analizaba las influencias del medio físico sobre las actividades humanas en diferentes regiones del mundo y examinaba la organización geográfica de prácticas y de instituciones humanas, incluido el Estado. El tercero fue Immanuel Kant (1724-1804), que defendió la enseñanza de la geografía como factor fundamental para el progreso moral humano y consideró esta disciplina como vehículo de integración del conocimiento del mundo. Kant concebía la geografía como un tema relacionado con «la diferencia que produce el espacio» en los dominios de las matemáticas, la moral, la política, el comercio y la teología[5].

Kant ejerció una enorme influencia en la universidad moderna. Sus ideas sobre la naturaleza del conocimiento y la percepción humana proporcionaron la base intelectual para el modelo curricular que surgió en el siglo XIX

5. Stuart Elden, «Reassessing Kant's Geography», *Journal of Historical Geography*, 35:1, 2009, pp. 3-25, cita en p. 14.

en las universidades alemanas. Estas universidades, a su vez, influyeron enormemente en las instituciones de enseñanza superior de todos los países, en especial en Estados Unidos. En su *Crítica de la razón pura* (1781), lo mismo que en otros escritos, Kant argumenta a favor del estudio de tres cosas que los sentidos humanos son capaces de captar: los fenómenos que pueden agruparse en función de sus cualidades objetivas (es decir, sus diferentes «formas» o temas), el tiempo y el espacio[6]. Las disciplinas reorganizadas, que hundían sus raíces en las universidades alemanas del siglo XIX, reflejaban esta manera de pensar: una serie de disciplinas definidas temáticamente, como la botánica y la política (forma), la historia (tiempo) y la geografía (espacio). Los críticos posteriores sostuvieron que la separación de tiempo y espacio era intelectualmente inadmisible, pero Kant no había defendido la geografía como disciplina centrada únicamente en cuestiones espaciales, sino que consideraba que el espacio y el tiempo se reforzaban mutuamente, dando a entender que la geografía y la historia debían concebirse como dos caras de una misma moneda.

A comienzos del siglo XX, la geografía se había establecido en muchas instituciones de educación superior de Occidente: en Alemania, Francia, Reino Unido, Rusia y Estados Unidos. En la segunda mitad del siglo, los departamentos de geografía que reflejaban la tradición geográfica occidental ya habían hecho su aparición en instituciones de enseñanza superior de todo el mundo, y la geografía

6. R. D. Dikshit, *Geographical Thought: A Contextual History of Ideas*, Delphi, Prentice-Hall of India, 1997, pp. 3-4.

pasó a ser considerada de modo general como una disciplina fundamental. Sin embargo, en Estados Unidos su estatus institucional de mediados a finales del siglo XX fue más accidentado. La enseñanza de la geografía en las escuelas decayó en la medida en que se la incluyó en un currículo más general de «estudios sociales», y la propia geografía quedó reducida a mera descripción. Varias universidades norteamericanas destacadas abandonaron la geografía, en particular Harvard a finales de los años cuarenta, y muchas instituciones de enseñanza de las artes liberales del país, junto con ciertas universidades públicas, la consideraron una parte prescindible del currículo. Semejante evolución, a su vez, estimuló una errónea percepción de la geografía como un tema anticuado, percepción intensificada a su vez por el predominante sesgo masculino que marcaba a la sazón la disciplina.

Esta manera de pensar afronta cada vez mayores desafíos (no son raras las referencias al redescubrimiento de la geografía)[7], pero el desplazamiento completo de la antigua mentalidad es una tarea aún en proceso. Incluso en Europa –cuna intelectual de la geografía occidental–, el cambio de prioridades y la proliferación de nuevos tipos de iniciativas interdisciplinares han desafiado el estatus y el prestigio tradicionales de la geografía. Además, persiste una opinión popular según la cual la geografía se agota en la mera memorización del nombre de lugares. No obstante, esta manera de pensar guarda una tensa relación con la experiencia que los estudiantes tienen en

7. National Research Council, *Rediscovering Geograpy: New Relevance for Science and Society*, Washington, DC, National Academics Press, 1997.

los campus, donde se encuentran con sólidos cursos de geografía que les proporcionan perspicaces visiones de las interconexiones que afectan el destino de los diferentes lugares en el globo entero, expanden su comprensión de los procesos medioambientales y de las interacciones humano-medioambientales, profundizan su apreciación de las distintas maneras en que aquellos procesos influyen en diferentes lugares y les ofrecen las habilidades con las que emplear tecnologías geoespaciales a la vez que evaluar sus ventajas y sus limitaciones.

Pensamiento geográfico

Lo que hace tan estimulante y tan relevante el campo de investigación de la geografía son las nuevas visiones que depara la observación de situaciones y problemas con lente geográfica. Piénsese en el caso de la invasión soviética de Afganistán en 1979-1980. La invasión sorprendió a la mayoría de los comentaristas, que se peleaban en busca de razones que la explicaran. Como le gustaba repetir a uno de mis antiguos colegas[8], poco después los medios de comunicación y los análisis políticos comenzaron a centrarse en dos posibles motivos de las acciones de la Unión Soviética: 1) la invasión fue un primer paso tendente a asegurarse un puerto de aguas cálidas en el océano Índico al que Rusia aspiraba desde hacía mucho tiempo (puesto que Afganistán no tiene costa marítima, la

8. El colega era Ronald Wixman, que enseñó geografía en la Universidad de Oregón de 1975 a 2007.

sugerencia implícita era que a la invasión del país le seguiría un movimiento hacia el océano Indico a través del territorio escasamente poblado del sudoeste paquistaní); o 2) la invasión era coherente con el antiguo modelo ruso de expansión territorial, de modo que debía considerarse como un paso hacia la incorporación de Afganistán a la Unión Soviética en calidad de nueva república. Cada una de estas explicaciones fue objeto de amplia cobertura en los medios de comunicación de la época y ambas fueron seriamente consideradas en los círculos políticos.

Tal vez los consumidores ocasionales de noticias se sintieran superficialmente atraídos por estas explicaciones. Pero la aplicación de un razonamiento geográfico elemental saca a la luz defectos fundamentales en cada una de ellas. Una rápida mirada a un mapa de Pakistán muestra que no hay puertos importantes en su costa sudoccidental, lo cual tiene un motivo. En efecto, la plataforma continental es tan poco profunda que los grandes navíos no pueden acceder fácilmente a la costa (difícilmente habría valido la pena luchar por ello, dado el importante conflicto internacional que hubiese requerido). En cuanto a la incorporación de Afganistán a la Unión Soviética como una república más, una mirada al mapa étnico y un simple conocimiento del creciente malestar de la población musulmana de la URSS revelaba que la incorporación de otros 18 millones de musulmanes a la Unión Soviética, que dicha operación habría implicado, era una de las últimas cosas que las autoridades podían desear. (Como demostraron los acontecimientos posteriores, lo que la Unión Soviética intentó en realidad –sin éxito, claro está–

fue estabilizar su flanco sur mediante la aplicación en Afganistán del mismo control que ejercía sobre gran parte de Europa Oriental.)

Lo que este ejemplo muestra es que la reflexión geográfica –junto con la conciencia de ciertos hechos geográficos básicos– puede proporcionar perspectivas realmente esclarecedoras. Más que centrarse exclusivamente en las instituciones, las formas de poder o las ideologías, la observación de un problema a través de la lente geográfica atrae la atención al papel que desempeñan los patrones sociales, las circunstancias medioambientales y las características locales subyacentes.

La reflexión geográfica también cuestiona la naturaleza y la solidez de las representaciones geográficas que se utilizan para describir acontecimientos y procesos. Es casi imposible hablar de ningún cambio que tenga lugar en nuestro planeta sin situarlo en un marco geográfico. Un análisis de problemas medioambientales en «Oriente Medio» o en «Europa» se inspira en constructos geográficos a gran escala que, en ambos casos, resultan ambiguos en lo tocante a su extensión territorial. Una clasificación de países sobre la base del PIB *per capita* invita a organizar la información económica según las unidades que se exhiben en los mapas políticos al uso más que de acuerdo con otros tipos más comparables de espacio (piénsese en qué sentido tiene tratar a Rusia y a Luxemburgo como unidades comparables). Un artículo de revista que compare la atención médica en Cornwall y en Essex mueve a pensar las diferencias en una escala espacial particular –la de los condados ingleses– en el marco de un proceso que relata una historia distinta de la que resultaría en caso de haber empleado otra escala de análisis. Un mapa en un periódico que muestre la tala de los bosques nacionales de Estados Unidos invita a reflexionar sobre lo que sucede en una zona con fronteras precisas, pero aparta la atención de circunstancias transfronterizas relacionadas y su significativo impacto ecológico. En ausencia de reflexión geográfica, es fácil pasar por alto lo oculto, que sale a la luz cuando se aborda una cuestión en el marco de un espacio geográfico concreto o de una escala en particular. En otras palabras, el estudio de la geografía es una experiencia que amplía horizontes.

El estudio de la geografía

Los estudiantes universitarios de geografía aprenden a comprender y a pensar el mundo que los rodea explorando con lente geográfica el clima, la política, la biología, la economía y otros temas. También se forman en diversas técnicas y herramientas constitutivas de la investigación geográfica. En la universidad moderna, la búsqueda de comprensión geográfica se funda en distintas orientaciones y perspectivas teóricas, a veces en competencia entre sí (positivismo, humanismo, marxismo, posestructuralismo, feminismo, etc.). Cada una ofrece diferentes visiones en el seno de disposiciones y procesos geográficos, y a veces apuntan a interpretaciones drásticamente divergentes. Pero otras veces, en un proceso que contribuye al avance de la comprensión geográfica, cada una de ellas aporta información a las demás.

La investigación geográfica se vale de una diversidad de métodos: recopilación y análisis de información acerca de localizaciones, modelos y distribuciones, documentación y evaluación de cambios en el paisaje (el enfoque que el geógrafo tiene del paisaje presenta cierta analogía con la manera en que los estudiosos de la literatura abordan los textos, esto es, con un pensamiento crítico acerca de lo que las formas tangibles desvelan de procesos subyacentes) y búsqueda de pruebas evidentes de las fuerzas que conforman la naturaleza geográfica del planeta. No es sorprendente que, para muchos geógrafos, los mapas, las imágenes de la superficie de la Tierra (fotos aéreas, datos satelitales, etc.) y los GIS de base informática sean herramientas geográficas importantes, pues permiten comprender los modelos espaciales y facilitan la toma de decisiones. Imaginar la mejor ruta para un sendero que atraviese un hábitat de vida salvaje no es una tarea sencilla, porque ha de tenerse en cuenta una amplia variedad de factores, como los modelos de migración de las especies salvajes, las características del terreno, la distribución de las plantas, los senderos preexistentes y la vulnerabilidad a los imprevistos naturales. Cada uno de estos factores tiene características espaciales que es posible captar mediante la utilización de GIS y evaluar colectivamente para determinar cuáles son las mejores rutas. Los GIS también se emplean para crear visualizaciones que proporcionan percepciones sugerentes (véanse, por ejemplo, las láminas 4 y 9). Tan importante ha sido la explosión de nuevas tecnologías geográficas que ha dado lugar al surgimiento de un nuevo campo de investigación, el de la ciencia de la información geográfica (GISci). Los profesionales de la GISci no se limitan a las aplicaciones de los GIS, sino que extienden su interés a las características, potencialidades y limitaciones de las tecnologías geográficas.

Pese a la indudable importancia de la cartografía y las tecnologías geográficas, la geografía no se reduce a la confección e interpretación de mapas. En efecto, numerosos estudios geográficos hacen muy poco uso de mapas. Observaciones cuidadosas, fotografías y notas de campo ofrecen información acerca de paisajes; los métodos etnográficos, las entrevistas y las encuestas aportan conocimiento de las características de lugares y de la gente que en ellos vive, así como de la importancia de las diferencias entre un lugar y otro; el análisis textual de los informes periodísticos y las comunicaciones personales esclarece el marco geográfico en el que se inscriben las distintas cuestiones; y las reflexiones filosóficas sobre la naturaleza y el significado del lugar y el espacio pueden abrir nuevas vías de pensamiento acerca de nosotros mismos y de nuestro papel en el mundo.

El estudio de la geografía abarca un espectro muy amplio, pero no por ello incoherente. Sus intereses y tratamientos metodológicos giran en torno a una significativa constelación de conocimientos, ideas, técnicas y enfoques. Con el fin de profundizar en la apreciación de su naturaleza, así como de explorar qué tienen para ofrecer, cada uno de los tres capítulos siguientes indagará qué significa en geografía adoptar objetos básicos de atención analítica, como son los patrones y las disposiciones, la naturaleza de los lugares y las interacciones físico-humanas. Entre estos objetos de estudio existe un amplio terreno de solapamiento, pero el hecho de examinarlos uno por uno proporciona un medio útil para demostrar qué significa contemplar el mundo a través de una lente geográfica. Tras estos capítulos, la atención se dirigirá a la importancia de la misión educativa general de esta disciplina. El libro acaba con una breve reflexión acerca de la importancia de promover más conocimiento y mejor valoración de la geografía moderna en este mundo nuestro en tan rápida transformación.

2. Espacios

Hay una palabra indisolublemente asociada a la geografía: «dónde». Eso se debe a que una premisa básica de la geografía es precisamente la importancia del lugar en que algo sucede en la superficie terrestre. Sin embargo, no es esta la única cuestión clave, pues también está la de «¿por qué allí?» y la de «¿y entonces?». Formularse estas preguntas significa dar la debida importancia a las disposiciones, las variaciones y las interconexiones espaciales. Incluso la más simple de las actividades cotidianas requiere cierta apreciación de las circunstancias espaciales (¿dónde encontrar alimento y servicios?, ¿cómo acudir a los lugares de trabajo?, etc.). En una escala más amplia, difícilmente se podría abordar racionalmente una empresa, emitir un juicio sobre una política determinada, entender los acontecimientos o captar algo de las fuerzas básicas que dan forma a la vida en el planeta sin tener una cierta conciencia de la manera en que los fenómenos se organizan en la superficie de la Tierra. Si se trata de escoger la localización adecuada para una nueva tienda o un nuevo servicio público es preciso tener en cuenta, entre otras cosas, la distribución poblacional, la ubicación de calles y servicios públicos y los patrones socioeconómicos. Para comprender por qué y cómo se producen las migraciones es menester tomar nota de la organización política del territorio, las consecuencias espaciales de la discriminación, los patrones socioeconómicos y la descripción del medio físico.

A veces, el estudio de las disposiciones espaciales es la mejor manera, o incluso la única, de lograr cierto conocimiento de problemáticas cuestiones científicas y humanas. Nadie sabía con seguridad cuál era la causa de las epidemias de cólera hasta que el médico británico John Snow confeccionó un mapa que identificaba casos declarados de esta enfermedad con ocasión de una epidemia en Londres a comienzos de los años cincuenta del siglo XIX. El mapa mostraba que la mayoría de los casos se arracimaban en torno a un solo pozo, lo que constituía una prueba concreta a favor de la idea que movía a Snow, según la cual el cólera se transmitía por el agua. El análisis de la distribución geográfica de las enfermedades, así como los cambios que con el tiempo se producen en ellas, es hoy una herramienta fundamental de la epidemiología.

Igualmente importante es el análisis espacial en otros campos. El gran desafío que constituye la hipótesis de la contribución humana al cambio climático se debe a la gran cantidad de factores que afectan al clima, sus complejas interacciones y su variabilidad. Puesto que a lo largo de toda la historia de la Tierra las fuerzas naturales han provocado cambios en el clima, la única manera de determinar la magnitud de la contribución reciente de la humanidad a ese cambio es desarrollar modelos de la transformación del sistema climático a largo plazo y luego observar las desviaciones que las actuales condiciones presentan respecto a los modelos pronosticados, tarea en la que la aportación del análisis espacial es decisiva.

Son bien conocidos algunos de los principales impulsores naturales del cambio climático. Las variaciones en la excentricidad de la órbita terrestre, los cambios en la inclinación de su eje y la precesión de los equinoccios son tres factores que determinan el volumen de radiación solar que llega al planeta. Otros factores que inciden en ello son las variaciones en la actividad solar, la composición de la atmósfera y las alteraciones de la reflexividad de la superficie y la atmósfera del planeta. Los modelos climáticos tratan de captar el papel que la combinación de estos ingredientes desempeña a lo largo del tiempo. Las reconstrucciones detalladas de modelos de vegetación del pasado han demostrado ser de gran utilidad a la hora de crear y refinar modelos climáticos, porque los modelos de vegetación reflejan circunstancias climáticas. De ahí que determinar cómo eran esos modelos en el pasado y cómo cambiaron con el tiempo pueda arrojar luz sobre la evolución del sistema climático.

Una manera de reconstruir modelos de vegetación del pasado consiste en tomar muestras de sedimentos del fondo de los lagos y examinar los tipos de polen que se encuentran en las diversas capas de la muestra. (Las capas más antiguas están en la base y las más recientes arriba; es posible datarlas gracias a diversas y modernas técnicas de datación.) Los tipos de polen que se encuentran en un nivel determinado de una muestra de sedimentos proporcionan datos sobre los tipos de vegetación (y, por extensión, de clima) existentes en las áreas circundantes en el período correspondiente. Los científicos con inclinación geográfica han empleado este tipo de datos de múltiples procedencias para construir mapas de vegetación y clima en transformación en diferentes regiones durante el Cuaternario (los últimos 2,5 millones de años). La comparación de mapas como el de la parte superior de la lámina 2 –mapa de reconstrucción climática– con mapas que describen predicciones del modelo climático (el de abajo) permite poner a prueba y mejorar una y otra vez los modelos. El mapa superior, por ejemplo, muestra la reconstrucción de la precipitación pluvial de hace 6.000 años sobre la base de los datos de polen, donde el azul indica lugares más húmedos que hoy y el marrón lugares más secos. El mapa inferior muestra las diferencias simuladas en la lluvia caída entre seis mil años atrás y nuestros días y utiliza los colores de la misma manera que el anterior. La comparación de los mapas muestra que las principales diferencias en la precipitación pluvial reconstruida entre entonces y hoy son también simuladas por los modelos climáticos. Sin embargo, hay diferencias que nos deparan ciertas enseñanzas con vistas al trabajo futuro. La precipitación pluvial simulada en el centro de Asia es demasiado baja para seis mil años atrás. Esto nos da a entender que debemos introducir ajustes que mejoren los modelos.

La funcionalidad cada vez más eficiente de los modelos climáticos en la simulación del pasado aumenta la confianza en su exactitud y su utilidad. Además, el hecho de que los modelos climáticos sean incapaces de simular con precisión el clima de las últimas décadas sin incluir el factor de la influencia humana proporciona una sólida demostración de que los seres humanos son agentes significativos del cambio climático contemporáneo, a la vez que aporta una contundente respuesta a los escépticos a este respecto, que sostienen que el cambio climático no es más que un fenómeno natural en el que la influencia de los seres humanos resulta prácticamente despreciable. Este ejemplo muestra que el interés geográfico por el análisis espacial va mucho más allá de la mera localización de los fenómenos en la superficie de la Tierra, que es una herramienta fundamental para el análisis y el abordaje de cuestiones de decisiva importancia en el mundo contemporáneo. Los estudios sobre los cambios en la distribución de las especies arbóreas en los bosques arrojan luz sobre el alcance de la alteración de los ecosistemas que el cambio climático está produciendo en diferentes regiones. La detallada representación gráfica de las distribuciones poblacionales en las regiones costeras, por su parte, revela qué áreas son más vulnerables a los seísmos y los tsunamis, mientras que el análisis de la distribución étnica en zonas desgarradas por conflictos agudiza la conciencia de la amenaza de violencia que afrontan diversas comunidades. Sobre este fondo es fácil entender que el empleo de GIS se haya expandido con tanta rapidez, pues facilita los esfuerzos por comprender las interrelaciones entre los distintos factores en juego.

Básicamente, los geógrafos abordan el estudio de las disposiciones espaciales de diversas maneras: tratan de identificar y explicar el significado de modelos espaciales, exploran qué variaciones en el espacio nos informan acerca de las fuerzas que conforman los procesos biofísicos y humanos, investigan la naturaleza y el significado de las interconexiones en el espacio y a escala y, finalmente, observan críticamente las ideas espaciales y los marcos de referencia que los seres humanos emplean para comprender el mundo que los rodea, navegar por él y tratar de cambiarlo. También se preguntan qué reflejan esas ideas y marcos de referencia, cuál es su influencia en el conocimiento y en la práctica y qué cambios deberían efectuarse en aras del mejoramiento humano y la sostenibilidad medioambiental.

Modelos espaciales

¿Qué gravedad reviste la infección de escolitinos en el oeste de América del Norte y cómo se la podría combatir? ¿Cuál podría ser la causa de una proporción superior a la normal de casos de cáncer de la que se informa a propósito de un barrio de Dublín en particular? ¿Qué obstáculos dificultan el acceso al alimento y a los servicios públicos de las comunidades de inmigrantes pobres de los alrededores de la ciudad de París? Un primer paso útil para responder a cualquiera de estas preguntas es entender la índole espacial de los fenómenos en cuestión, esto es, dónde es particularmente grave la muerte de árboles del bosque, dónde se concentran más personas con diagnóstico de cáncer o dónde están situadas las tiendas de comestibles y los centros de salud en relación con las mayores concentraciones de población.

El interés en responder a la pregunta por el «dónde» ha conferido a los mapas un lugar especial en el trabajo de muchos geógrafos, pues confeccionarlos es una manera efectiva de dar sentido a los modelos espaciales y promover su comprensión.

Hay mapas que a primera vista cuentan historias muy importantes, pero con frecuencia el mayor valor de un mapa reside en las preguntas que suscita y en las sugerencias de vías de respuesta que propone. Un mapa que muestre la distribución de diferentes grupos étnicos en el espacio de las ciudades puede ofrecer ideas sobre los motivos por los que unos están más segregados que otros, pero también sugerir qué factores podrían ser responsables de los modelos de segregación. El mapeado de las características de las riberas de un río puede ofrecer un cuadro interesante de hábitats húmedos, pero también puede conducir a hipótesis acerca de las causas de la erosión en lugares particulares de un curso de agua.

Naturalmente, los mapas no son representaciones de la realidad exentas de valoraciones subjetivas, pues reflejan perspectivas y prioridades particulares (cuestión que más adelante exploraremos con más detalle) y, en consecuencia, están sujetos a adecuados exámenes críticos. Tomemos, por ejemplo, la lámina 3, mapa que yuxtapone un plan de división propuesto a comienzos de la última década del siglo XX para Bosnia y Herzegovina, desgarradas por la guerra (las regiones en color), y un conjunto de zonas que representan cómo la gente se desplazaba y utilizaba el espacio antes del estallido del conflicto (líneas continuas y líneas de puntos, respectivamente). Este mapa fue creado con la finalidad de mostrar que el plan de división propuesto por el Secretario de Relaciones Exteriores del Reino Unido, Lord Owen, y su homólogo norteamericano, Cyrus Vance, se basaba en un enfoque problemático para el tratamiento del conflicto que enfrentaba mutuamente a serbios, croatas y musulmanes bosnios. Su plan no ignoraba las variables espaciales; se basaba en un mapa que dividía el país según líneas administrativas, con distritos asignados a uno u otro grupo según cuál de ellos fuera mayoritario en cada distrito. En un esfuerzo para mostrar por qué no era conveniente utilizar esas variables espaciales, el geógrafo Peter Jordan, de la Academia Austríaca de Ciencias, empleó información acerca de los modelos de traslado cotidiano en Bosnia antes del conflicto y mostró que los espacios significativos para la vida de la gente –lo que él llama «micro y macrorregiones funcionales»– no tenían correspondencia en el mapa de distritos de las mayorías étnicas[1]. La lámina 3 llama la atención sobre esta cuestión y sugiere por qué el plan terminó en fracaso (fue rotundamente rechazado por todas las partes). Pero tampoco este mapa cuenta la historia completa, pues otra conclusión a la que se llega si se observa el mapa a través de una lente geográfica es que, en caso de haberse hecho efectivo el plan, los musulmanes bosnios habrían terminado con mucha menos tierra agrícola productiva que sus contrapartes serbias o croatas.

1. Peter Jordan, «The Problems of Creating a Stable Political-Territorial Structure in Hitherto Yugoslavia», en Ivan Crkvencic, Mladen Klemencic y Dragutin Feletar (eds.), *Croatia: A New European State*, Zagreb, Urednici, 1993, pp. 133-142.

Por tanto, el mapeo, al igual que la elaboración de otras representaciones de datos espaciales, no debería considerarse en general un fin en sí mismo, pues es el resultado de los esfuerzos realizados para comprender qué es lo que da lugar a modelos particulares y para explorar cómo estos modelos influyen en la realidad concreta. Esos esfuerzos son siempre parciales y susceptibles de cuestionamiento (las preguntas que se formulan y los datos que se examinan influyen en lo que se encuentra), pero pueden ser extremadamente útiles. En efecto, pueden arrojar luz sobre las causas por las que algunos glaciares avanzan mientras la mayoría retrocede, qué lugares son más vulnerables a los riesgos naturales y cuáles menos, de qué manera la distribución de una red de transporte favorece a ciertas comunidades mientras que perjudica a otras y por qué quienes viven en determinados barrios afrontan mayores desafíos sociales, económicos y medioambientales que quienes viven en otros.

Variaciones en el espacio

Otra manera de apreciar la contribución que aporta el estudio del espacio es pensar en el conocimiento que podemos extraer de la observación de las variaciones que se perciben al pasar de un lugar a otro. En la búsqueda de leyes generales que rigen el sistema físico y el humano, los estudios científicos a veces tratan esas diferencias como poco más que ruidos que ensombrecen procesos más generales. Por ejemplo, muchos economistas y politólogos dan por supuesto en sus modelos que en todas partes la gente responde de maneras similares a las mismas circunstancias (es decir, que realiza «elecciones racionales» o que actúa en su «propio interés», ambas cosas entendidas prácticamente como universales humanos). Y tanto los biólogos como los físicos dan a veces por supuesto que es más fácil detectar las operaciones del medio físico si se observan transversalmente las semejanzas en distintos lugares que limitándose a las condiciones específicas de un solo lugar.

No cabe duda de que los estudios que aplican leyes generales para explicar los fenómenos aportan mucho conocimiento, en particular en el dominio del medio físico, en el que el conocimiento de todo, de la gravedad a las diferencias de presión atmosférica, es producto de la búsqueda de tales leyes. En el terreno humano, el estudio de los flujos financieros o el de la difusión de enfermedades por contacto humano también pueden sacar provecho de ese tipo de análisis. Pero adoptar un enfoque geográfico significa también observar qué podemos aprender de las diferencias en el espacio, como, por ejemplo, de la reflexión sobre la manera en que las circunstancias geográficas específicas influyen en la erosión de las márgenes fluviales o en la decisión de emigrar ante la adversidad económica. Cuando es posible generalizar más, esa generalización parte de la comparación de casos individuales y la elucidación de qué es en ellos general y qué es específico.

La concentración en las variaciones espaciales puede poner de relieve las limitaciones de las generalizaciones demasiado amplias, como la que sirve de premisa al influyente libro que en 2005 publicó Thomas Friedman, columnista de *The New York Times*, con el título *The World is Flat*[2]. En este libro Friedman sostiene que la globalización está creando un planeta geográficamente cada vez más indiferenciado porque, por ejemplo, los trabajadores de alta tecnología de Silicon Valley están hoy inextricablemente relacionados, a la vez que en competencia, con sus homólogos de Londres, Amsterdam, Tokio, Bangalore e incluso más lejos. Friedman ve otras manifestaciones de su mundo plano en las élites empresariales de todo el mundo que viajan y viven lejos de sus países de origen, los profesores de muchísimos países que se comunican y colaboran con regularidad en los mismos proyectos, los ricos de todo el mundo que pasan las vacaciones en lugares similares y la intensidad con que se sigue a los equipos de la Liga de Fútbol Inglesa tanto en el norte de Inglaterra como en el sur de Tailandia.

Es cierto que la globalización ha producido concentraciones de población hasta ahora desconocidas y que, en determinados lugares y para determinadas personas, se puede sostener que ha implicado una nivelación de las condiciones de vida. Sin embargo, en cuanto se aborda la tesis de Friedman con mentalidad geográfica, quedan a la vista sus limitaciones. Según algunos cálculos, cerca de la mitad de la población mundial no se ha alejado nunca más de 100 kilómetros de su lugar de nacimiento. En muchos sitios, la brecha entre ricos y pobres se ha ampliado. Sería imposible imaginar mayor contraposición

2. Thomas Friedman, *The World is Flat: A Brief History of the Twenty-First Century*, Nueva York, Farrar, Straus and Giroux, 2005 [ed. cast., *La Tierra es plana: una breve historia del siglo* XXI, Madrid, MR Ediciones, 2007].

que la que existe entre la vida de un campesino de Yemen del Norte y la de un habitante de la Escocia rural. Incluso pueden ser llamativas las diferencias que se dan entre lugares relativamente cercanos pero separados por fronteras nacionales. Las oportunidades y las perspectivas desafían la comparación entre un niño nacido en una familia de clase media de Paju, Corea del Sur, y uno nacido en Kaesong, Corea del Norte, a menos de 25 kilómetros.

Una de las contribuciones más valiosas de la geografía estriba en la atención que dedica a estas diferencias. La lámina 4 proporciona un poderoso contraste con el relato del mundo plano. Ese mapa utiliza diferentes colores para mostrar el tiempo de viaje a los centros urbanos: las zonas amarillas son las que tienen las mayores facilidades de acceso a las ventajas que Friedman pone de relieve, mientras que las que se muestran en rojo oscuro o morado son las que disponen de menos facilidades de ese tipo. Puesto que el acceso a las áreas urbanas está estrechamente ligado a los indicadores de salud y de estatus socioeconómico, sobre todo en lo que afecta a las áreas de ingresos bajos o medios, el relato que de ese mapa se extrae sobre las variaciones en las oportunidades y los desafíos a los que se enfrenta la gente en el mundo de hoy brilla por su ausencia en la versión de Friedman (en realidad tampoco aparece en los mapas convencionales que describen niveles de desarrollo económico sobre la base de las cifras nacionales de PIB *per capita).*

Cuando las diferencias que la lámina 4 pone en evidencia se examinan a la luz de la incapacidad de muchos modelos generales para explicar o predecir de modo adecuado cuestiones que van de las crisis económicas a la intensidad de las inundaciones, la importancia del interés de la geografía por las variaciones en el espacio resulta patente. El caso del empequeñecimiento de los lagos de Siberia nos proporciona un ejemplo al respecto. Es evidente que el clima de Siberia se está calentando, lo que produce el derretimiento del permafrost. Durante mucho tiempo se supuso que la fusión del permafrost aumentaría la cantidad de lagos y expandiría su superficie, sobre todo en una región como Siberia, donde la precipitación pluvial se ha incrementado ligeramente. Sin embargo, cuando Laurence Smith, geógrafo de la UCLA, y sus colegas emplearon datos obtenidos por teledetección para examinar en detalle la transformación en el ordenamiento espacial y la naturaleza física de los lagos de Siberia, se encontraron con una importante disminución en la cantidad y el tamaño de los lagos de determinadas regiones de la zona en estudio, específicamente en los cercanos a la frontera de permafrost permanente[3]. Este hallazgo los llevó a plantear que los lagos de esos lugares no respondían a los supuestos generales; en un primer momento, la fusión del permafrost produce la expansión de los lagos, pero luego, en la medida en que el complejo subyacente de sedimentos, suelos y rocas gana permeabilidad, esos lagos tienden a drenar. Es indudable que los estudios que se realicen a este respecto serán decisivos para la comprensión de qué áreas se verán más o menos afectadas por el cambio climático en las décadas por venir.

3. Laurence Smith, Yongwei Sheng y Glen MacDonald, «Disappearing Arctic Lakes», *Science*, 308, 2005, p. 5727.

Pasando a un ejemplo de otro tipo, la creación de ciudades más seguras y más habitables es una meta ampliamente perseguida, pero las políticas que promueven este objetivo en determinados lugares pueden no tener el mismo resultado en otros, dadas las diferencias de las circunstancias locales. Después de la Segunda Guerra Mundial, los gobiernos locales del sur de Luisiana comenzaron a adoptar patrones nacionales de edificación tendentes a promover en todo el país la construcción de edificios más duraderos. Uno de esos patrones preconizaba la llamada construcción de fundación superficial (losas de hormigón a nivel del suelo que hacen las veces de cimientos, sin espacio entre el suelo y la estructura). La adopción de este patrón en Luisiana del Sur provocó el abandono del antiguo hábito de construir las casas sobre pilotes (tradicionalmente de entre 45 y 60 centímetros de altura). Durante las grandes inundaciones que azotaron Baton Rouge en agosto de 2016, una considerable mayoría de las casas dañadas eran construcciones recientes de fundación superficial, que quedaron inundadas con menos de 45 centímetros de agua. En otras palabras, el no tener en cuenta las particularidades de un lugar determinado –en este caso, el elevado riesgo de inundación en Luisiana del Sur– condujo a graves consecuencias para decenas de miles de personas.

La única manera de evitar consecuencias de este tipo es tomar en serio las variaciones que se dan a través del espacio. Un plan de transporte público que funcione bien en una ciudad británica relativamente compacta como Southampton no es necesariamente adecuado para una ciudad más dispersa, como Mánchester. Las políticas activas contra incendios que tienen sentido en zonas vulnerables del *bush* australiano no son necesariamente adecuadas en el bosque boreal canadiense. Lo esencial es que el hecho de minimizar la importancia de las circunstancias del medio físico, el demográfico, el social y el cultural, y prescindir de ellas en aras del desarrollo de concepciones más generales o de políticas de aplicación más extendida, puede fácilmente impedir la comprensión general y operar contra la elaboración de respuestas más eficaces a desafíos medioambientales y sociales.

Interconexiones en el espacio y escala

Los distintos lugares no tienen existencia aislada, sino que se ven afectados por circunstancias próximas y lejanas, influencias que se han incrementado a medida que el mundo se ha hecho cada vez más interconectado. El decidido voto a favor de la salida de Gran Bretaña de la Unión Europea en la ciudad costera de Hull, en el noreste de Inglaterra, no fue simplemente el resultado de circunstancias locales. Más bien reflejó una sensación de marginación en relación con otros lugares, el sentimiento de que las élites gobernantes de Londres habían ignorado durante mucho tiempo las dificultades del norte de Inglaterra y la frustración por una decadencia de la industria pesquera que muchos atribuían a la UE[4]. También

4. Anthony Clavane, «Brexit Heartland and City of Culture Hull Remains in Dangerous Waters», *The New European*, 19 de diciembre de 2017. Disponible en http://www.theneweuropean.co.uk/top-stories/brexit-heartland-and-city-of-culture-hull-remains-in-dangerous-waters-1-5322162.

fue resultado del malestar local por la inmigración de Europa Oriental y del esfuerzo político a escala nacional para proyectar la imagen del Reino Unido como un país que ya no controlaba sus propios asuntos y había sido víctima de la inmigración incontrolada.

El ejemplo de Hull muestra por qué son tan decisivas las conexiones en el espacio a la hora de entender lo que ocurre en un sitio determinado. La cuestión no se agota en las interconexiones existentes entre distintas localidades, sino que también son importantes las conexiones a escala. En el caso del Brexit, la escala nacional y la europea afectaban a la local, y, por supuesto, lo que sucedía a escala local tenía repercusiones también más allá de ella (el Brexit fue producto de múltiples lugares que, como Hull, votaron con criterios particulares). Observar las interconexiones de las diversas escalas –espacios de diferente magnitud, de lo local a lo global– ayuda a insertar lugares, acontecimientos y procesos en un contexto y desvela importantes conexiones causales.

La importancia de las interconexiones espaciales se aprecia con particular claridad cuando nos detenemos a pensar en que incluso los atributos típicamente asociados a los lugares individuales son a menudo producto de interconexiones en el espacio y en el tiempo. A mucha gente, cuando se le pide que piense en Suiza, lo primero que le viene a la cabeza es el chocolate, aun cuando en su territorio jamás se cultivó cacao. No hay duda de que durante mucho tiempo la industria lechera ha sido importante para la economía agraria del país, pero lo que dio a Suiza uno de sus productos distintivos fue su capacidad para desarrollar y controlar el comercio de una mercancía producida muy lejos de sus fronteras.

A lo largo del siglo pasado las economías de casi todo el mundo fueron creando lazos cada vez más estrechos con las de otros lugares. Buena parte del complejo comercial minorista de los suburbios de Washington D.C. especializado en ropa vende productos que forman parte de una complicada «cadena productiva» que, por ejemplo, empieza en Asia Central con la producción de algodón, sigue con el traslado de este algodón a Turquía, donde se convierte en hilo, que a su vez es llevado a China para ser teñido y más tarde a Vietnam, donde, combinado con botones procedentes de Francia, es transformado en un par de pantalones y, finalmente, embarcado con destino al suburbio de Washington para su venta, a menudo con una etiqueta que declara que fue diseñado en USA o en algún lugar prestigioso del mundo de la moda, como Francia o Italia. En los diferentes eslabones del transporte de bienes que hacen posible esta cadena están presentes diversas formas de propiedad y control extranjeros. En tanto tales, la mayoría de las cadenas mercantiles forman parte de «redes de producción global» más complejas aún[5].

La importancia de prestar atención a estas redes se hizo patente en enero de 2017, con ocasión de la preparación de la toma de posesión de Donald Trump como presidente de Estados Unidos. Trump sugirió que su gobierno

5. Neil M. Coe, Martin Hess, Henry Wai-chung Yeung, Peter Dicken y Jeffrey Henderson, «"Globalizing" Regional Development: A Global Production Networks Perspective», *Transactions of the Institute of British Geographers*, 29:4, 2004, pp. 468-484.

impondría una tarifa del 35% a la importación de automóviles de México para proteger los puestos de trabajo en Estados Unidos. Con independencia de lo que se piense acerca de la conveniencia de las políticas proteccionistas en general, esta propuesta política parecía haberse hecho sin tener en cuenta las interpenetraciones de las industrias automovilísticas de ambos países. En efecto, más de un tercio de las piezas que se incorporan a los coches montados en Estados Unidos procede de México, y los coches que se montan en México contienen muchas piezas de fabricación norteamericana, lo que quiere decir que, en caso de ponerse en práctica, la tarifa que proponía Trump habría tenido un impacto muy negativo en la producción automovilística y, por extensión, en los empleos de ambos de países. En términos sencillos, ningún análisis racional de propuestas tarifarias y sus potenciales impactos puede prescindir de la debida consideración de las importantes conexiones geográficas a través del espacio.

Pero la importancia del papel de las conexiones espaciales y de escala no se agota en el terreno económico. El conjunto de la vegetación a lo largo de las costas del lago de Como, en Italia, refleja una mezcla de circunstancias biofísicas locales, regionales y a gran escala, la importación de especies exóticas por los seres humanos y los impactos de las prácticas agrícolas, la contaminación de origen humano y la expansión de la población en torno al lago. El conflicto que ha devastado Siria en la segunda década del siglo XXI es el resultado de prácticas coloniales exteriores (trazado de fronteras, estructuras administrativas impuestas desde fuera, creación de una economía de exportación, etc.), complicadas interacciones con los países vecinos (en particular Turquía e Irak), el nicho sirio en las redes de producción regional y global y las ambiciones geopolíticas de Irán, Rusia, Estados Unidos y otras potencias. Las precarias condiciones de habitabilidad de Durban, en Sudáfrica, hunden su raíz en las relaciones de poder de la era colonial, la inercia del prolongado régimen racista presidido por una élite en Pretoria, las estructuras regionales y globales que han enriquecido a determinados sectores de la sociedad a expensas de otros, etc.

Las interconexiones espaciales y a escala son tan vertiginosamente complejas que, en la mayoría de los casos, resulta imposible sacar a la luz el espectro completo de fuerzas, próximas y distantes, que producen resultados particulares. Además, se debate mucho entre los geógrafos acerca de qué es lo que merece atención y cuáles son las teorías más idóneas para explicar los resultados geográficos. El esfuerzo por identificar y describir las conexiones que dan forma a las circunstancias geográficas, sin embargo, es un prerrequisito para cualquier consideración o debate productivo en torno a esas conexiones.

Dada la creciente intensidad de las conexiones que dan forma al planeta en el siglo XXI, no podría ser más importante el antiguo interés de la geografía por la comprensión de los modos en que los acontecimientos que se producen en un lugar preciso y a una determinada escala afectan a lo que sucede en otro lugar. ¿Qué implicaciones tienen las pautas de consumo europeas y norteamericanas en las prácticas agrícolas en África y Sudamérica? ¿Cómo influyen los hábitos de uso de la tierra de las regiones altas de la cuenca del Yangtsé sobre las inundaciones que se producen aguas abajo? ¿De qué manera las nuevas tecnologías de interacción virtual transforman pautas de movimiento y alteran la organización de las ciudades? ¿En qué medida las prácticas de pesca comercial, la construcción de nuevos oleoductos y las técnicas de fracturación hidráulica (*fracking*) alteran el destino de comunidades indígenas? Cuestiones geográficas de este tipo serán imprescindibles para encarar muchos de los problemas de nuestro tiempo. También tienen la potencialidad de promover un pensamiento crítico acerca de los lugares y las escalas que se emplean para contextualizar discusiones sobre temas particulares. Si, por ejemplo, en lugar de pensar la violencia relacionada con la droga en México como un problema mexicano se la proyecta sobre el telón de fondo geográfico mucho más amplio del narcotráfico, es más difícil ignorar los impactos que el consumo de droga en Estados Unidos y en Europa produce en la estabilidad social de México.

El cuestionamiento de presupuestos espaciales

El ejemplo de la violencia mexicana en relación con la droga apunta a la importancia del pensamiento crítico acerca de espacios y organizaciones espaciales. Prácticamente cualquier disciplina o campo de investigación trata de dar una perspectiva crítica de sus objetos de estudio. En el caso de la geografía, esto significa no dar simplemente por supuestas las ideas espaciales, sino cuestionar también su valor, su utilidad y su adecuación, esto es, tener claro que un análisis centrado en cuestiones socioeconómicas a escala de ciudades o de barrios, en oposición a Estados o países, invita a entender de distintas maneras las causas y las consecuencias, aun sin olvidar la influencia de los procesos a gran escala sobre lugares a escala más reducida. Esto equivale a reconocer que una evaluación de los desafíos medioambientales que afronta la región mediterránea atraerá la atención sobre cuestiones distintas de aquellas sobre las que lo haría un estudio centrado en el sur de Europa o en el norte de África.

Periodistas, politólogos, políticos, educadores y líderes empresariales –en realidad, todo el mundo– invocan conceptos geográficos cuando describen el mundo y tratan de actuar sobre él. Unas veces, los parámetros de estos constructos son vagos (Medio Oriente, el Midwest americano); otras veces son más precisos (Australia, el Londres metropolitano). En cualquier caso, vale la pena considerar si el constructo tiene sentido como marco de referencia y reflexionar sobre qué queda oculto y qué sale a la luz cuando se despliega un marco determinado. Igualmente importante es reconocer el grado en que la disponibilidad de ciertos tipos de información o datos es responsable de qué llama la atención y qué no. Puesto que, por ejemplo, muchos datos tienden a ser recogidos y reunidos de acuerdo con criterios jurisdiccionales políticos, hay muchos más estudios que se centran en acontecimientos que tienen lugar en unidades a uno u otro lado de las fronteras políticas que aquellos que las cabalgan.

La influencia de los modelos políticos sobre la recolección y difusión de datos contribuye a explicar la tendencia general a tratar el mapa de países independientes simplemente como un conjunto de espacios predeterminados más allá de todo cuestionamiento. Pocos son los comentaristas que se detienen siquiera a considerar en qué medida el mapa político domina la imaginación geográfica moderna. Por cada referencia a lo que sucede en la cuenca del río Congo, la región francoparlante de Europa o el cinturón triguero de América del Norte hay miles y miles de menciones a la República Democrática del Congo, Francia y Canadá. Es común describir la localización de los sucesos –incluso de los que no son políticos– en referencia a alguna de las unidades del mapa político del mundo (el tsunami tuvo lugar en Japón, más que en la costa nororiental de Honshu), las personas en función de los países en los que han nacido (un individuo es boliviano, no quechua, guaraní ni aimara) y organizar la mayor parte de la información acerca del mundo de acuerdo con criterios territoriales estatales (la tasa de alfabetización es un treinta por ciento más baja en India que en China)[6].

En ausencia de pensamiento geográfico crítico sobre el modelo que se describe en los mapas políticos, es fácil ignorar las importantes desconexiones que se dan entre el modelo político y otros modelos geográficos (demográficos, étnicos, medioambientales, etc.) o tratar a todos los Estados como si fueran esencialmente lo mismo (por ejemplo,

6. Véase, en general, Alexander B. Murphy, «The Sovereign State System as Political-Territorial Ideal: Historical and Contemporary Considerations», en Thomas Biersteker y Cynthia Weber (eds.), *State Sovereignty as Social Construct,* Cambridge, Cambridge University Press, 1996, pp. 81-120.

considerar que China, con cerca de 1.400 millones de habitantes, un territorio de más de 9 millones de kilómetros cuadrados y una inmensa burocracia, y el pequeño Estado isleño de Nauru en el Pacífico Sur, con una extensión de 21 kilómetros cuadrados y un aparato estatal insignificante en comparación con el gobierno municipal de una ciudad china de magnitud media, pertenecen a la misma categoría institucional). Es cierto que acontecimientos como la desintegración de la Unión Soviética, la disolución de la antigua Yugoslavia o el éxito de los movimientos separatistas en lugares como Sudán del Sur nos recuerdan una y otra vez que el modelo político no es estático, pero también es cierto que, sin mentalidad crítica acerca del modelo que exhibe el mapa político mundial, es muy improbable que esos acontecimientos pongan en tela de juicio la convicción de que el mapa establece un marco de referencia sin problemas para la localización y descripción de acontecimientos y procesos.

En contraste, el desarrollo, siquiera modesto, del hábito de pensar con mentalidad geográfica puede traer a primer plano una miríada de cuestiones. ¿Por qué resulta normal que mostremos Somalia en los mapas políticos mundiales como un único país cuando el norte y el sudeste no tienen nada que ver entre sí? ¿Cuáles son las consecuencias de que Nepal esté encerrado entre India y China, con acceso mucho más fácil al primero que al segundo? Esta clase de preguntas –preguntas geográficas– pueden estimular un tipo de pensamiento imprescindible para entender la escena geopolítica contemporánea.

El pensamiento crítico sobre el espacio también es importante para abordar problemas tangibles y cuestiones prácticas a menor escala. ¿Están en el lugar adecuado los límites de una zona aislada que se ha escogido para promover en ella la conservación de las especies? ¿Facilita la accesibilidad y estimula el movimiento el diseño de las calzadas y las aceras del centro de una ciudad? ¿Favorecen la localización de las paradas de autobuses, las estaciones ferroviarias y los accesos a las autopistas a unos grupos más que a otros? ¿Son las decisiones acerca de la localización y la organización interna de los parques públicos sensibles a los intereses y las limitaciones de los diferentes segmentos de la población circundante? Es imposible que una forma urbana sea completamente equitativa, pero la formulación de estas preguntas, y otras afines, es fundamental si queremos crear comunidades más habitables, justas y sostenibles en los años y las décadas por venir.

Otro conjunto de ideas muy útiles nos lo ofrece la reflexión crítica acerca de los supuestos que apuntalan la confección de mapas particulares y sobre el papel que esos mapas desempeñan en la manera de comprender la realidad. Como hemos visto, los mapas reflejan prioridades e inclinaciones, ya sea que se las analice, ya que permanezcan implícitas. Piénsese en algo tan elemental como la elección de una proyección cartográfica, que es el método para representar la superficie curva de la Tierra en un mapa plano. Es imposible desplegar las características de un planeta esférico en una superficie plana sin incurrir en distorsiones. Así las cosas, es inevitable que la elección de una proyección cartográfica entrañe el deseo de destacar ciertos aspectos por encima de otros. Durante siglos, la proyección dominante en los mapas que se confeccionaban en Estados Unidos y en Europa fue la conocida como proyección Mercator, y el océano Atlántico ocupaba en ellos la posición central. Esta proyección era útil desde el punto de vista de la navegación, pero introduce enormes inexactitudes en las descripciones del tamaño comparativo de las áreas terrestres (las próximas a los polos quedan inmensamente agrandadas, mientras que con las situadas cerca del Ecuador ocurre lo contrario). El resultado es un mapa según el cual Groenlandia parece más grande que África y en el que, al colocar al océano Atlántico en el centro, Asia queda desplazada a la periferia.

No hay manera de calcular las consecuencias precisas del amplio empleo de los mapas Mercator con el Atlántico en el centro, pero es casi seguro que contribuyó a alimentar la perspectiva norteamericana y europea que marginaba a África y, en menor medida, a Asia Oriental. En muchos casos, los mapas son desarrollados y difundidos con la explícita finalidad de proponer una agenda política (por ejemplo, los mapas que muestran las reclamaciones territoriales de uno u otro país en una zona en disputa, como sucede con los nombres diferentes para las mismas islas en el mar que separa Japón y Corea, o los mapas que destacan las consecuencias medioambientales de actividades particulares). Uno de los mejores ejemplos del vínculo entre confección de mapas y política nos llega de la era de la Guerra Fría, durante la cual vieron la luz y se distribuyeron ampliamente en Estados Unidos proyecciones polares como la que muestra la lámina 5, con la intención de llamar la atención sobre la proximidad geográfica de la Unión Soviética y, por extensión, de poner de relieve la amenaza potencial que esta constituía para los Estados Unidos.

Los progresos tecnológicos han facilitado y abaratado enormemente la producción de mapas en comparación con solo unas décadas atrás, lo que por sí mismo acentúa la importancia de cultivar la capacidad para pensarlos cuidadosa y críticamente (véase más sobre este tema en el capítulo 5). Además, la proliferación de mapas abre nuevos e importantes campos para el estudio geográfico. ¿De qué manera los mapas y las herramientas de navegación facilitan o dificultan los esfuerzos de la gente por desplazarse por el mundo y comprenderlo? ¿Qué modificaciones de diseño pueden aumentar la utilidad de los mapas para diversos grupos de personas, incluidas las que padecen discapacidades físicas? ¿Está cambiando el uso cada vez más generalizado de los GPS la manera de concebir los lugares y de moverse en el espacio? Lo que une todos estos nuevos campos de investigación es el interés geográfico por cuestionar la naturaleza, la utilidad y los impactos de las representaciones espaciales.

Conclusión

Hace más de doscientos años, la invención del transporte por ferrocarril desbrozó el camino hacia una transformación geográfica del lugar de residencia de la gente, la localización y la modalidad de la producción industrial, la manera en que los gobiernos controlaban el territorio e incluso el modo en que los individuos concebían la distancia y los sitios que podían serles accesibles. Se podía llegar más allá de la casa y permanecer en contacto con la familia extensa; la gente comenzó a reflexionar más que en el pasado sobre la manera en que su vida se entrelazaba con la de personas que vivían cada vez más lejos. Transformaciones igualmente impresionantes ocurrieron tras la aparición del automóvil y del avión. A medida que avanza el siglo XXI se va desarrollando otra revolución en la movilidad y la conectividad, no impulsada por un único invento transformador sino por un conjunto de nuevas tecnologías e intereses sociales y medioambientales que probablemente tendrán consecuencias en los próximos años: coches sin conductor, distintos tipos de vehículos eléctricos, plataformas informáticas de coches de alquiler, trenes de altísima velocidad y un sistema de internet cada vez más omnipresente. Todo esto, en conjunto, influirá en la manera en que miles de millones de personas vivan y entiendan el mundo que las rodea.

La comprensión de las implicaciones de estos cambios y su empleo en beneficio de la humanidad será imposible al margen de un análisis geográfico concienzudo y sostenido de la evolución de las disposiciones, las relaciones y los constructos relativos al espacio. Necesitamos comprender el cómo y el porqué de los cambios que se están produciendo en los modelos de movilidad y conectividad, así como la diversidad de impactos que tales cambios producen en diferentes lugares y en distintas comunidades. Necesitamos prestar atención a la manera en que las innovaciones tecnológicas modifican las relaciones entre lugares y personas: por ejemplo, al impulsar cambios en el uso del suelo en la ciudad y sus alrededores, afectar de distinta manera a los diferentes sectores de la población, alterar las conexiones entre las áreas rurales y las urbanas, transformar el medio físico y mutar las sensibilidades espaciales de la gente. Cuestiones de ese tipo –cuestiones geográficas– revisten vital importancia teniendo en cuenta las transformaciones que con toda probabilidad renovarán significativamente la organización y la experiencia de la vida en la Tierra a lo largo del siglo XXI.

3. Lugares

A menudo se entiende que la geografía como disciplina queda mejor definida por su enfoque analítico y explicativo que por sus objetos de estudio, pero su interés general por la naturaleza de los lugares constituye una excepción parcial. Efectivamente, el interés por los lugares es tan antiguo como la propia geografía. En la tradición occidental, los primeros geógrafos griegos eran famosos por sus sustanciosos relatos de los diferentes lugares que habían visto en sus viajes, lo que más adelante ocurriría también con sus homólogos árabes, persas y europeos. Volviendo al presente, con frecuencia los estudios de la organización de los lugares y su aspecto ofrecen valiosas indicaciones sobre los procesos físicos y las influencias humanas que dan forma a su desarrollo.

George, en Sudáfrica, es una ciudad más bien pequeña situada en la meseta de la provincia Occidental del Cabo, cerca del océano Índico. La belleza del paraje, junto con la proximidad de recursos boscosos y tierra cultivable, ha atraído gente a la zona durante milenios. George fue fundada a comienzos del siglo XIX por líderes británicos de la Colonia del Cabo. El distrito comercial se hallaba en el área que en la figura 2 se registra como «Centro de la ciudad»[1]. Durante las primeras décadas posteriores a su fundación, el crecimiento fue gradual, pero se disparó con la mejora de los medios de transporte y la expansión de la industria maderera. En la segunda mitad del siglo XX, la ciudad se convirtió en algo así como un centro comercial y de servicios. En la actualidad es un popular destino turístico y centro de conferencias con una población de 150.000 habitantes.

Los forasteros suelen imaginar George como una ciudad agradable, con amables lugares de reunión y buenos campos de golf, así como atractivos lugares de interés histórico. Pero también es un lugar de profundas divisiones raciales. Esta circunstancia es evidente para cualquier persona que pase allí un tiempo, pero la observación con lente geográfica desvela mucho más, incluso la manera en que, con el tiempo, las divisiones raciales influyeron en su estructura y organización y continúan haciéndolo aún hoy. En un agudo artículo en *Urban Geography*, Kimberly y David Lanegran señalan que la mayor parte de George ha estado racialmente segregada desde su fundación en el siglo XIX[2]. A unos kilómetros al sur, en un lugar llamado Pacaltsdorp (fig. 2), surgió de pronto una considerable

1. Kimberly Lanegran y David Lanegran, «South Africa's National Housing Subsidy Program and Apartheid's Urban Legacy», *Urban Geography*, 22:7, 2001, pp. 671-686.
2. Ibíd.

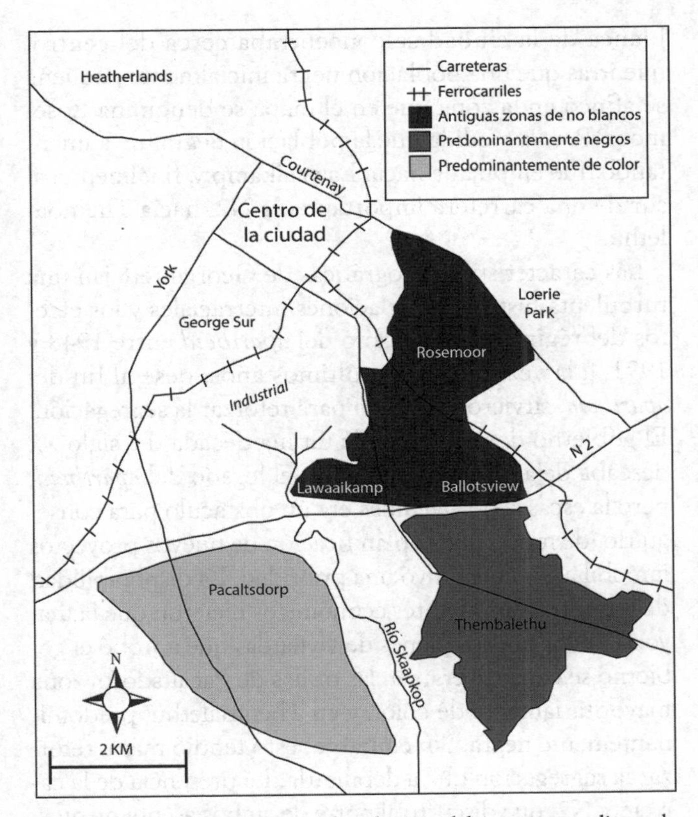

Figura 2: Características geográficas básicas del área metropolitana de George, Sudáfrica.

comunidad de color (mestiza de múltiples orígenes). Muchos residentes de Pacaltsdorp trabajaban en George, pero Pacaltsdorp tenía autonomía política. Al igual que en el caso de George, la mayor parte de la población blanca de la ciudad se concentraba cerca del centro, mientras que una población negra inicialmente pequeña se afincó en la zona que en el mapa se denomina Rosemoor. Pero a medida que la población negra fue aumentando, fue empujada hacia Lawaaikamp y, finalmente, al sur de una carretera importante, la N2, hacia Thembalethu.

Las características geográficas de George reflejan una turbulenta historia de relaciones interraciales y los efectos del régimen sudafricano del *apartheid* entre 1948 y 1991, a la vez que, en los últimos años, pese al fin del *apartheid*, sirvieron también para reforzar la segregación. El gobierno de George de la última década del siglo XX deseaba dejar atrás cuanto antes el legado del *apartheid*, pero la escasez de viviendas era un obstáculo para conseguirlo, de modo que la planificación de nuevos proyectos inmobiliarios constituyó una prioridad. La disponibilidad de terrenos y los factores económicos hicieron que la mayoría de los nuevos planes de viviendas que aprobó el gobierno se construyeran en las orillas de Pacaltsdorp, zona mayoritariamente de color, y en Thembalethu, predominantemente negra. Sin embargo, esto tendió más a reforzar la segregación que a debilitarla. La presencia de la carretera N2, que discurre al norte de ambos asentamientos, jugó en contra de la extinción de las fronteras entre estas comunidades y el centro de George. Además, aun cuando el crecimiento debido a algunos de los nuevos planes de urbanización acercó físicamente Pacaltsdorp y Thembalethu entre sí, ese hecho no estimuló la integración entre ambas comunidades debido a que las separaba un río y el puente que debía unirlas jamás se construyó, pues una mentalidad extremadamente cerrada concebía dichas comunidades como dos entes separados y se estimularon planes urbanos enfocados más en la relación de cada comunidad con el centro de la ciudad que de una con la otra.

El ejemplo de George muestra que, incluso en lugares que han experimentado cambios de gran calado (en este caso, la desaparición del régimen del *apartheid*), debe tenerse también en cuenta lo que ocurrió antes. Si la mayor parte del área de George no hubiera estado tan segregada, si el río Skaapkop no separara Pacaltsdorp y Thembalethu o se hubiera construido un puente sobre él, si la N2 no hubiera obstruido el movimiento de sur a norte y viceversa, y si no hubiese sido tan poderosa la inercia de concebir Pacaltsdorp y Thembalethu como lugares separados, otra habría sido la historia de George con posterioridad al *apartheid*. El reconocimiento de la naturaleza y la importancia de estos tipos de interconexión es resultado de la observación holística de la organización y las características geográficas de un lugar como George. Los relatos geográficos relativos a lugares cumplen una función en lo tocante a la satisfacción de la curiosidad, pero el hecho de centrar la atención en un lugar también estimula el pensamiento integrador, crea conciencia de la diversidad del planeta, ofrece agudas intuiciones en cuestiones relativas a la identidad y la pertenencia y proporciona un fundamento para la valoración crítica de afirmaciones acerca de la naturaleza de determinados lugares y regiones. Una breve mirada a cada uno de estos aspectos muestra por qué el interés de la geografía por la naturaleza de los lugares es tan importante en el mundo contemporáneo.

El lugar como plataforma para el pensamiento integrado

En el mundo actual, la adopción de un enfoque integral es defendida desde las ciencias naturales hasta las humanidades, pasando por las ciencias sociales. Un modo importante de conseguir un pensamiento integrador consiste en enfocar la relación recíproca de los diferentes factores en escenarios concretos. Es la orientación que escogen, por ejemplo, los investigadores interesados en el comportamiento y los impactos del fuego en los bosques de latitud media. No hay en esos bosques dos lugares con la misma combinación de árboles, helechos, líquenes, musgos y otros tipos de vegetación. Esto se debe a que los factores que afectan a la vegetación (por ejemplo, la temperatura del aire, las lluvias, las características del suelo, la contaminación exógena) se conjugan de distinta manera en diferentes lugares. En el proceso crean nichos ecológicos distintivos, y estos nichos, a su vez, determinan la propensión al fuego y las maneras en que este u otros tipos de perturbaciones afectan a los bosques. El reconocimiento de la importancia de este punto ha llevado a los investigadores del fuego a prestar cada vez más atención al contexto geográfico, tema que se ha erigido en preocupación fundamental gracias a una reciente iniciativa multidisciplinar destinada a «identificar el terreno común de los investigadores de los incendios forestales»[3]. La idea

3. Max Moritz, Chris Topik, Craig Allen, Tom Veblen y Paul Hessburg, «SNAPP Team: Fire Research Consensus» (proyecto en colaboración de Nature Conservancy, la Wildlife Conservation Society y el National Center for Ecological Analysis and Synthesis de la Universidad de California,

subyacente es que el impacto que el conjunto de circunstancias específicas de un lugar particular tiene sobre el fuego es mayor que el que hasta ahora se había pensado.

Los estudios geográficos sobre los impactos de las actividades humanas en la evolución de las comunidades de plantas confirman esta cuestión general. Jonathan Phillips, de la Universidad de Kentucky, estudió cómo responden las comunidades botánicas al pastoreo y a la eliminación del fuego –esto es, al esfuerzo activo por evitar los incendios en las áreas naturales– en tres escenarios diferentes: Texas central, Virginia sudoccidental y Carolina del Norte oriental[4]. Su trabajo mostró que ningún modelo predictivo único basado en conceptos generales puede captar lo que ha sucedido. En sus palabras, «el lugar es importante», y las implicaciones de esta actitud son de largo alcance. Sugieren que es más útil pensar en generalizaciones en términos de probabilidad e incorporar las características de diferentes situaciones geográficas en los modelos predictivos que suponer que podemos establecer rigurosas relaciones de causa y efecto y realizar predicciones deterministas. Aplicado a la cuestión de los incendios, esto significa que antes que dar por supuesto que un incendio en un bosque de coníferas de latitud media tendrá tal o cual efecto, es más útil decir que, si en determinados lugares de bosques de coníferas de latitud media se dan determinados conjuntos particulares de condiciones, será más probable uno u otro resultado en caso de que se produzca un incendio.

Santa Bárbara). Disponible en https://snappartnership.net/teams/fire-research-consensus/.

4. Jonathan D. Phillips, «Human Impacts on the Environment: Unpredictability and the Primacy of Place», *Physical Geography*, 22:4, 2001, pp. 321-332.

También en el ámbito de lo humano, el lugar sirve como poderosa plataforma del pensamiento integrador. ¿Cuál fue el impacto de la expansión del capitalismo industrial en Gran Bretaña en el siglo XIX sobre las relaciones y las pautas sociales de actividad de las mujeres? Al centrar el foco geográfico en el lugar para tratar esta cuestión, Linda McDowell y Doreen Massey se ocuparon del impacto de las diferencias de base local entre, por ejemplo, las marismas de Anglia Oriental y las ciudades algodoneras del noreste de Inglaterra[5], y llegaron a la conclusión de que, en función de las diferencias básicas en los fundamentos de estas economías regionales, el papel de las mujeres en esas economías, la organización espacial y las normas sociales de las respectivas comunidades, las consecuencias sobre el rol de las mujeres en tiempos más recientes fueron fundamentalmente distintas. Lo mismo que en el ejemplo de la geografía física, mediante la observación de las diferencias locales tomamos conciencia de las limitaciones de las grandes generalizaciones y reconocemos los tipos de factores contextuales que dan forma concreta a los cambios en el terreno.

Los ejemplos mencionados demuestran el rol integrador que los estudios geográficos pueden desempeñar en la profundización de la comprensión de las variaciones a través del espacio (tema que también se ha explorado en el capítulo precedente). Las lecciones que se desprenden de esos estudios de lugar se ven reforzadas por los crecientes

5. Linda McDowell y Doreen Massey, «A Woman's Place?», en Doreen Massey y John Allen (eds.), *Geography Matters!*, Cambridge, Cambridge University Press, 1984, pp. 128-147.

esfuerzos que, al margen de los círculos geográficos, se realizan para considerar los impactos formales de las características locales sobre cuestiones de interés más general. La pesca en pequeña escala es responsable de la mitad de las capturas ictícolas, y su incidencia es realmente importante en muchas regiones, sobre todo en las menos industrializadas. Sin embargo, buena parte de esas prácticas de pesca a pequeña escala están hoy amenazadas por una variedad de circunstancias, la más notable de las cuales es el empobrecimiento de los bancos pesqueros debido a las devastadoras operaciones de la pesca comercial a gran escala. No es sorprendente que los esfuerzos por promover empresas pesqueras más sostenibles a menor escala hayan centrado desde hace mucho tiempo la atención en los desafíos de la pesca abusiva. Por importante que sea este problema, en realidad los desafíos a la sostenibilidad que afrontan las pequeñas empresas pesqueras son más complejos. No solo dependen de la cantidad de peces que haya en el océano, sino también de la salud de este, amenazada a su vez por crecientes concentraciones de plásticos, arrecifes coralinos en extinción y la expansión de zonas muertas (áreas sin vida o con vida muy escasa). También es importante la vulnerabilidad de las comunidades pesqueras (pobreza, enfermedad, peligrosas condiciones de trabajo y desempleo juvenil). El reconocimiento de la gravedad de estos últimos factores condujo a la Organización de las Naciones Unidas para la Alimentación y la Agricultura (FAO) a promulgar un conjunto de «orientaciones voluntarias para asegurar las pesquerías a pequeña escala», en las que se llamaba a tener en cuenta no solo problemas de gestión de recursos, sino también la diversidad cultural, la sostenibilidad económica y la igualdad de género[6]. El mensaje dominante de estas orientaciones es que, a fin de salvar la viabilidad de la pesca a pequeña escala, es esencial abordar los lugares particulares con enfoques holísticos e integrados.

Parecido es el mensaje que subyace al reciente informe de las Academias Nacionales de Ciencias, Ingeniería y Medicina de Estados Unidos, titulado *Communities in Action: Pathways to Health Equity*[7]. Este informe propone un modelo conceptual basado en la idea de que, para lograr su objetivo, los esfuerzos en pro de la igualdad en temas de salud requieren enfoques de impulso comunitario que, en lugares particulares, tengan en cuenta las influencias superpuestas del medio físico, los niveles de ingresos, los servicios de salud, el empleo, la vivienda, el transporte y la educación. Otro ejemplo es el que propone la Amazon Third Way Initiative. La finalidad de esta iniciativa es proponer un enfoque integral del desarrollo que centre la atención en el entrecruzamiento de las características socioecológicas, tecnológicas y económicas en diferentes lugares de la Amazonia[8].

Como muestran estos y muchos otros ejemplos, no podemos esperar captar las complejidades del mundo que

6. Food and Agriculture Organization of the United Nations (FAO), *Voluntary Guidelines for Securing Sustainable Small-Scale Fisheries in the Context of Food Security and Poverty Eradication,* Roma, Food and Agriculture Organization, 2015.
7. National Academies of Sciences, Engineering and Medicine, *Communities in Action: Pathways to Health Equity,* Washington, DC, National Academies Press, 2017.
8. Carlos A. Nobre, Gilvan Sampaio, Laura S. Borma, Juan Carlos Castilla-Rubio, José S. Silva y Manoel Cardoso, «Land-Use and Climate Change Risks in the Amazon and the Need of a Novel Sustainable Development Paradigm», *Proceedings of the National Academy of Sciences of the United States of America*, 113:39, 2016, pp. 10759-10768.

nos rodea si centramos el interés única, o predominantemente, en temas y objetos aislados. El pensamiento integrador es esencial, y la especificidad de los distintos lugares facilita este tipo de pensamiento. Formular preguntas sobre la naturaleza de un lugar es forzosamente llamar la atención sobre la combinación de fuerzas –físicas, sociales, económicas, políticas y culturales– que lo han conformado con el tiempo. La ampliación de horizontes que acompaña a esta actitud fundamentalmente geográfica sirve como vital contrapeso a la tendencia a la hiperespecialización de la era moderna.

El estímulo de la curiosidad por la diversidad de la Tierra y su comprensión

¿Qué condujo a los primeros seres humanos a buscar lugares fuera de su originaria cuna africana y colonizar poco a poco la mayor parte del planeta? En ciertos casos los imperativos económicos sirvieron de impulso, pero en muchos otros, abrumados por la necesidad, carecían de recursos y de flexibilidad para poder desplazarse. También los esfuerzos para huir del conflicto y la represión han sido catalizadores del movimiento, pero solo en circunstancias limitadas. Una respuesta más completa a la pregunta inicial no puede prescindir del papel de la curiosidad, que siempre ha provocado en los seres humanos el deseo de explicar lo que hay más allá de la siguiente montaña, la siguiente masa de agua, el siguiente bosque –y a veces incluso de ir allí–.

Esa misma curiosidad sigue aún hoy incitando el deseo de saber más acerca de las costumbres, los modos de vida y los paisajes de otros lugares y ayuda a explicar por qué despiertan tanto interés los medios de prensa y los medios electrónicos que describen las características de lugares lejanos, y por qué la industria del turismo ha crecido exponencialmente en las últimas décadas. Sin embargo, la curiosidad geográfica –junto con los conocimientos que de ella derivan– no debería darse por supuesta. Las encuestas sobre comprensión geográfica muestran abismos de incomprensión del mundo en sentido amplio. Es relativamente poca la gente que busca de manera activa información acerca de otros lugares. La mayoría de los turistas no se aventura más allá de los hoteles, los resorts, los restaurantes y los lugares importantes que se destacan en las guías de turismo, priorizando a menudo lo que más se parece a su lugar de origen. Pese a su gran potencialidad para abrir horizontes, los recientes desarrollos tecnológicos han vuelto a mucha gente más sedentaria, menos dada a explorar y menos consciente de su entorno (tema sobre el que volveremos en el capítulo 5). La globalización ha estimulado una mayor interacción en todo el planeta, pero también ha alimentado resentimientos y ha servido para arraigar aún más los estereotipos mentales.

Dado este telón de fondo, resulta patente el valor que reviste la estimulación de la curiosidad geográfica. Los relatos claros y sugerentes sobre diferentes lugares tienen una importante función que cumplir a este respecto. Afortunadamente, hoy existe un abanico de personas con afición geográfica que se dedica a esos relatos; no se trata solo de geógrafos con formación profesional, sino de periodistas, novelistas, autores de libros de viaje y productores cinematográficos. Leyendo a novelistas como Barbara

Kingsolver, James Michener y George Orwell comprendemos mejor las interconexiones que hacen de los distintos lugares lo que son. Por su parte, escritores de no ficción como Barry López, Charles Mann, John McPhee y Andrea Wulf nos ayudan a entender el pasado y el presente observando con sensibilidad geográfica el despliegue de la dinámica hombre-medio ambiente. Las contribuciones de estos comentaristas contrastan abiertamente con multitud de relatos superficiales de lugares distantes que se mueven en el terreno de la incomprensión y los prejuicios (el predominio de esas narraciones señala otra razón de la necesidad de contar con comentarios geográficos bien informados).

Esto último alude a una justificación particularmente importante del cultivo de la curiosidad geográfica por los lugares, es decir, su potencialidad para ampliar los horizontes mentales y mejorar la comprensión. Muchos foráneos ven el África Subsahariana como un espacio moderado en cuanto a tamaño y más o menos indiferenciado, dominado por selvas tropicales, pobreza, enfermedades y tribalismo (los estereotipos habituales). Pero si se contempla la región con visión geográfica se advierte un inmenso territorio de grandes contrastes, que van de las selvas tropicales de la Cuenca del Congo a los desiertos de Namibia, la sabana del África Oriental y el clima mediterráneo del Cabo; de las remotas aldeas del interior del oeste africano a las vibrantes metrópolis de Dar es-Salam en Tanzania, Acra en Ghana y Johannesburgo en Sudáfrica; y de los musulmanes que hablan el árabe afroasiático de Somalia a los cristianos del oeste de Angola, que hablan bantú, y los seguidores de las religiones indígenas tradicionales de Sudán del Sur, que hablan la lengua nilo-sahariana. Este panorama llama la atención sobre la diversidad del continente, a la vez que fomenta la conciencia de la verdadera extensión de África. La lámina 6 ofrece una importante corrección del empequeñecimiento de África en la proyección Mercator. En efecto, muestra que la superficie terrestre de África es mayor que las de China, India, Estados Unidos y gran parte de Europa Occidental sumadas. La frecuencia con que este mapa sorprende a quienes lo ven por primera vez demuestra lo importante que es centrar la atención en las características geográficas de los lugares y las regiones.

Reduciendo la escala, las representaciones geográficas de montañas, valles, islas, ciudades, aldeas y barrios encierran una gran potencialidad como estímulo de la curiosidad por el planeta y la apreciación de su diversidad. Esa curiosidad no solo puede ampliar horizontes, sino también contribuir a ganar terreno a la incomprensión mediante el fomento de la consideración de las semejanzas y las diferencias entre distintos lugares. ¿Por qué ciertos países subdesarrollados, como Nepal y Ruanda, han sido capaces de lograr mejores resultados en lo tocante a la salud humana (tasas más bajas de mortalidad infantil, esperanza de vida más alta) que otros países pese a no presentar mayor nivel de desarrollo que estos? ¿Por qué la expansión urbana se asocia a la disminución de las lluvias en algunas ciudades, pero no en otras? ¿Por qué las decisiones de ampliar la red de carreteras condujeron a una significativa pérdida de tierra de cultivo en Silicon Valley, Estados Unidos, pero no en los alrededores de Bangalore, India?[9].

9. De esta cuestión se han ocupado Michael K. Reilly, Margaret P. O'Mara y Karen C. Seto en «From Bangalore to the Bay Area: Comparing Trans-

Estas preguntas no tienen fácil respuesta; los investigadores que emplean diferentes informaciones o que parten de diferentes perspectivas teóricas pueden muy bien llegar a conclusiones distintas. Pero incluso la formulación de este tipo de preguntas puede ser esclarecedora, al señalar, por ejemplo, la necesidad de tener en cuenta si los factores institucionales han reforzado el cuidado de la salud en Nepal y Ruanda, desafiar el supuesto de una conexión causal directa entre expansión urbana y precipitación pluvial y llamar la atención sobre las diferencias en la relación entre las ciudades y sus alrededores en California Central y el sur de India. En resumen, la curiosidad por las semejanzas y diferencias entre lugares lleva potencialmente implícito el enriquecimiento de un amplio abanico de cuestionamientos, mientras que el papel que, gracias a su concentración en los lugares, desempeña la geografía en tanto estímulo de dicho hábito mental nos recuerda una vez más la importancia de esta disciplina.

El apego humano a lugares y regiones

La gente no se limita simplemente a ocupar o visitar lugares, sino que desarrolla por ellos un apego que influye en lo que hacen, en su manera de pensar el mundo e incluso en la construcción de su identidad. Mucha gente, tal vez la mayoría, se define, al menos en parte, en términos geográficos: soy británico, inglés, londinense. Por otra parte, la mayoría

portation and Activity Accessibility as Drivers of Urban Growth», *Landscape and Urban Planning*, 92:1, 2009, pp. 24-33.

de las personas no piensa con estrechez de miras, mecánicamente, acerca de los lugares donde vive, donde trabaja o que visita, sino que desarrolla un «sentido del lugar» tan emocional e intuitivo como fundado en circunstancias concretas. Un particular sentido del lugar con respecto a París, Francia, fue lo que motivó las regulaciones del uso del suelo en la ciudad que limitaban la altura de los edificios y promovían su conformidad a los estilos de edificación del siglo XIX. En otros lugares, las urbanizaciones se planifican con la mirada puesta en la creación de un espacio con resonancia en la sensibilidad geográfica de la gente (a menudo sin examinar). A veces, estados de ánimo con fuerte carga sentimental en relación con un lugar han dado origen a obras literarias, musicales, cinematográficas y de las artes plásticas, a la vez que han influido en la toma de decisiones sobre el lugar al que mudarse (o sobre si mudarse o no), planes relativos a destinos de viaje, criterios en pro o en contra de iniciativas de urbanización, así como decisiones personales que afectan las características naturales de los espacios sobre los cuales los individuos o las instituciones tienen control directo (jardines, parques, edificios, etc.).

En consecuencia, para captar la naturaleza de los lugares se requiere tener en cuenta no solo sus características manifiestas, sino también la manera en que son pensadas y vividas. En un influyente estudio de 1976 titulado *Place and Placelessness*[10], Edward Relph, geógrafo de la Universidad de Toronto, observó la proliferación en las ciudades norteamericanas de calles comerciales que presentaban el mismo aspecto. Con la denominación «paisajes sin lugar»

10. Edward Relph, *Place and Placelessness*, Londres, Pion, 1976.

(puesto que son ubicuos e ignoran las características particulares de los lugares en donde han surgido) Relph nos invita a pensar en lo que sucede cuando se sustituyen paisajes que reflejan la sensibilidad geográfica e histórica de la gente por esos desarrollos urbanísticos que responden al mismo patrón y son fáciles de encontrar por doquier. Para Relph, los paisajes sin lugar socavan la rica diversidad del planeta y minan el apego a los lugares donde se vive y el compromiso con ellos. ¿Para qué preocuparse demasiado por algo que ocurre en un vecindario si no hay en él nada que le sea distintivo o especifico?

Es evidente el significado que el énfasis de Relph sobre la dimensión emocional y psicológica del lugar adquiere en el mundo contemporáneo. ¿Qué mueve a los promotores inmobiliarios a construir enormes suburbios con grandes edificios autónomos rodeados de campos de césped, ávidos consumidores de agua, en los alrededores de ciudades en medio del desierto que afrontan el riesgo de quedarse sin agua? ¿Cómo imaginar el *nimbysmo** en ciertas ciudades con escasez de viviendas baratas o ante la localización de vertederos en zonas frágiles desde el punto de vista medioambiental? Tomarse en serio la sensibilidad de la gente respecto al lugar es un prerrequisito para abordar este tipo de cuestiones.

A mayor escala, el poder de los Estados para modelar la identidad es un problema de fundamental importancia

* Palabra del inglés derivada de la sigla NIMBY (*Not in my backyard*), cuyo equivalente castellano podría ser SPAN (*Sí, pero aquí no*) y que se aplica, en sentido despectivo y en alusión a su insolidaridad, a las personas que, sin rechazar algo beneficioso para la comunidad, se niegan a que se instale en un sitio en que puede acarrearles molestias. *(N. del T.)*

en el mundo contemporáneo. La división que Gran Bretaña realizó en 1947 de India en un Estado hindú y uno musulmán (India y Pakistán, respectivamente) separó las comunidades y azuzó formas de nacionalismo de gran significado geopolítico, económico y social en nuestros días. Muchos de los conflictos más intensos de las últimas décadas han tenido origen en identidades nacionales superpuestas o discordantes en lo referente a sus respectivos fundamentos geográficos. Piénsese en los conflictos palestino-israelí, de Ucrania Oriental, Chechenia, Sri Lanka, Sudán, Irán-Irak y muchísimos otros.

La importancia de indagar en las dimensiones identitarias del lugar resulta clara cuando uno se detiene a reflexionar sobre algo tan elemental como la tan repetida afirmación de que vivimos en un mundo de «Estados-nación» (esto es, Estados formados por una sola nación). La palabra *nation* (nación) es uno de los términos más confusos de la lengua inglesa, pues tiene muchos significados incompatibles entre sí. Unas veces se lo emplea como sinónimo de un Estado independiente (la nación de Indonesia, de los Estados Unidos), otras veces para describir un conjunto de comunidades indígenas (las Naciones Originarias de Canadá) y a veces incluso para describir importantes comunidades etnoculturales en busca de un Estado propio (la nación kurda o la palestina).

La idea de Estado-nación tiene su raíz en el significado originario de la expresión: pueblo que comparte una visión del mundo, una cultura y una identidad, y que desea controlar sus propios asuntos en un territorio separado. La Revolución Francesa de finales del siglo XVIII dio impulso a la idea de que los pueblos histórico-culturales del mundo (esto es, las naciones del mundo, en el sentido originario del término) deberían tener Estados propios. Francia se formó en nombre del pueblo francés, y en el siglo XIX y comienzos del XX surgieron otros Estados europeos a partir de movimientos nacionalistas: una Alemania para los alemanes, una Italia para los italianos, una Rumanía para los rumanos, etc. Pero distaban mucho de ser Estados-nación en ningún sentido geográficamente preciso de la expresión. Los nuevos territorios emergentes no estaban ocupados de manera uniforme por individuos que se consideraran franceses, alemanes, italianos o rumanos, porque en estos Estados vivían también muchos otros individuos de distintos orígenes.

La exploración detallada de las complejidades de la relación entre nación y Estado escapa al alcance de este breve libro. Lo que para los fines presentes interesa destacar es que el concepto de Estado-nación fue desde el primer momento una especie de ficción, que se acentuó a medida que se configuraba el mapa político global tras la disolución de los imperios coloniales europeos. Tal vez sea habitual llamar Estados-nación a las unidades que se distinguen en el mapa político mundial, pero el típico Estado actual abarca múltiples comunidades histórico-culturales.

Para comprender la naturaleza y la importancia de la brecha entre la idea de Estado-nación y la realidad de los hechos es necesario un enfoque geográfico crítico de la relación entre la identidad y los territorios políticamente organizados (regiones formales). Es así como resulta evidente la ambición fundamental que anima al concepto de Estado-nación, esto es, la aspiración a que los ciudadanos de un Estado determinado se piensen como una comunidad definida por un Estado y comprometida con él. Esto es sin duda lo que quiere decir un líder nigeriano cuando afirma hablar en nombre del «Estado-nación» nigeriano (habida cuenta de los 300 grupos étnicos diferentes –hausa, yoruba e igbo, solo entre los más numerosos–, la extraordinaria diversidad lingüística –más de 500 lenguas reconocidas– y las profundas divisiones entre el norte convertido al islam y el sur convertido al cristianismo).

En realidad, vivimos en un mundo de Estados multinacionales, no de Estados-nación. Esto, que parece simple, es en realidad una cuestión de gran profundidad y, sin embargo, fácil de subestimar por la falta de pensamiento crítico en torno a los fundamentos territoriales de la identidad. Prácticamente todos los días, las noticias que llegan de distintas partes del mundo nos recuerdan que la desconexión entre la organización política del espacio y las pautas de identidad constituye uno de los graves desafíos del mundo contemporáneo. Sin embargo, a pesar del peligro que ello implica, pasamos por alto su naturaleza y su importancia.

El cuestionamiento de los estereotipos de lugar

Es difícil hablar o escribir sobre cualquier tema sin apelar a algún tipo de constructo (un país, una ciudad, un sitio de características especiales, una región biofísica, etc.). Sin embargo, como se ha visto en el capítulo 2, los compartimentos espaciales que los comentaristas utilizan para enmarcar situaciones y problemas inciden en la manera de entender dichas situaciones y problemas, pues al tiempo que ponen de relieve determinados aspectos, ocultan otros, razón por la cual es tan importante el análisis crítico del modo en que se describen los lugares. Cuando un político se refiere con acritud a los inmigrantes de Oriente Medio o un periodista alude a la tasa de criminalidad en el East End londinense o en el South Side de Chicago, está alentando o reforzando estereotipos raciales y étnicos. En este sentido, es importante pensar críticamente la adecuación o la utilidad de esos encuadramientos, subproductos indeseables del interés del geógrafo por el análisis de los lugares y las regiones.

El hecho de abordar de manera crítica las representaciones de lugares puede constituir también un reto a los habituales supuestos sobre los que suelen basarse las afirmaciones acerca de su naturaleza, así como a las vías por las que se ha terminado por considerarlos espacios significativos. Kay Anderson, geógrafa de la Western Sidney University, llama enfáticamente la atención sobre esto en un estudio clásico del distrito de Chinatown, próximo al corazón de Vancouver, en Canadá[11]. Chinatown es la zona de la ciudad en la que se concentraron los inmigrantes chinos a finales del siglo XIX y comienzos del XX. Al interrogar la naturaleza y el significado de Chinatown en tanto lugar, Anderson se vio arrastrada a explorar más allá de sus características demográficas y arquitectónicas. Por esta vía terminó por demostrar que el mero hecho de nombrar el lugar y tratarlo como un espa-

11. Kay J. Anderson, «The Idea of Chinatown: The Power of Place and Institutional Practice in the Making of a Racial Category», *Annals of the Association of American Geographers*, 77:4, 1987, pp. 580-598.

cio separado de su entorno era una consecuencia de las ideas y los prejuicios raciales de la población mayoritaria, blanca y de ascendencia europea. Esas ideas y prejuicios motivaron al gobierno a adoptar prácticas políticas y sociales que empujaron a la población y la actividad comercial china hacia Chinatown, limitaron las oportunidades a disposición de los residentes de la zona y reforzaron a la vez la creencia de que se trataba de un lugar insalubre e inmoral y las circunstancias concretas que la justificaban. Al concebir de manera amplia la naturaleza del lugar, Anderson desafió la idea predominante de que Chinatown era en Vancouver un invento chino que respondía simplemente al deseo de los inmigrantes chinos de vivir juntos en una tierra extraña.

Volviendo a un ejemplo a mayor escala, examinemos la tendencia harto frecuente de tratar el «mundo islámico» como si se tratase de una realidad políticamente significativa. Tal como se la emplea comúnmente, la etiqueta «mundo islámico» no alude simplemente a una parte del mundo con predominio de la religión musulmana, sino que se refiere a lo que se presupone como polo geopolítico existente, o, al menos, emergente. En la última década del siglo pasado, las influyentes publicaciones sobre el «choque de civilizaciones», del politólogo de Harvard Samuel Huntington, contribuyeron enormemente a promover esta manera de pensar[12]. Huntington sostenía que las principales líneas de fractura geopolítica del siglo XX, que

12. Samuel P. Huntington, *The Clash of Civilizations and the Remaking of World Order*, Nueva York, Simon & Schuster, 1997 [*El choque de civilizaciones y la reconfiguración del orden mundial*, Barcelona, Paidós, 2005].

a su criterio eran de naturaleza político-ideológica (comunismo autoritario frente a capitalismo democrático), estaban dando paso a divisiones de orden religioso-cultural, como, por ejemplo, el Mundo Islámico frente al Occidente judeocristiano.

Los conflictos que se han desarrollado entre diferentes pueblos en Asia del Sur y África del Norte en los últimos años han puesto en evidencia la dificultad de considerar el Mundo Islámico como un actor geopolítico ni siquiera cuasi unificado. No obstante, la idea de Huntington sigue teniendo amplia resonancia y es fácil advertir su poder. Este poder quedó patente tras el ataque de Al-Qaeda a los Estados Unidos el 11 de septiembre de 2001. Irak se convirtió en el foco central de la represalia, aun cuando Sadam Husein era fundamentalmente hostil a Al-Qaeda. Irán e Irak fueron absurdamente agrupados en un «Eje del Mal», pese a haber librado una sangrienta guerra de ocho años entre sí tan solo una década antes. Una de las justificaciones de la invasión a Irak fue impedir el establecimiento de «un imperio islámico radical que se extienda de España a Indonesia»[13], argumento que daba por supuesto que la región presenta suficientes características sociales y culturales en común como para que el surgimiento real de un imperio unificado fuera una realidad imaginable.

Esta forma de pensar no ha desaparecido. Nick Halley, general de brigada retirado de Estados Unidos y comentarista habitual de Fox News (autor de un libro de título

13. Stephen Zunes, «Bush Again Resorts to Fear-Mongering to Justify Iraq Policy», *Foreign Policy in Focus*, 12 de octubre de 2005. Disponible en https://fpif.org/bush_again_resorts_to_fear-mongering_to_justify_iraq_policy/.

tan provocativo como *Terrorist: The Target is You! The War Against Radical Islam* [*Terrorista: ¡tú eres el objetivo! La guerra contra el islam radical*])[14], visita universidades incansablemente para dar conferencias en las que sostiene que el mundo islámico representa una amenaza existencial para el resto del planeta. Sería ingenuo no reconocer que hay extremistas que, en nombre del islam, tienen objetivos expansionistas y consideran la violencia como medio legítimo de perseguirlos (aunque casi nadie daría crédito a la afirmación de Halley según la cual esos sectores radicales superan los 100 millones de personas). Pero ¿cómo es posible evaluar las probabilidades de que estos extremistas logren sus objetivos sin prestar ninguna atención a los obstáculos que se oponen a la creación de un frente unificado en la zona del mundo en la que el islam es la religión dominante? ¿Cómo podemos intentar comprender la idea de «Mundo Islámico» sin poner en tela de juicio las representaciones de su estatus como foco geopolítico unitario? Lo que se denomina mundo islámico está en realidad desgarrado por diferencias de raíces muy profundas, no solo en cuestiones de doctrina relativas a la sucesión del califato (fuente originaria de la división entre chiitas y sunitas), sino también sobre prácticas culturales, modos de vida, ideologías políticas y afiliaciones nacionalistas. El reconocimiento de estas bases geográficas es una condición previa para cualquier tipo de consideración seria del desarrollo de Asia del Sudeste y África del Norte, más allá de las distintas visiones políticas que se puedan tener al respecto.

14. Nick Halley, *Terrorism: The Target is You! The War Against Radical Islam* (edición propia, 2004).

Pocos ejemplos hay tan llamativos como el que se acaba de esbozar, pero el pensamiento crítico sobre las representaciones regionales es la única manera de exponer supuestos problemáticos y desafiar estereotipos preocupantes sobre uniformidades sociales en el espacio, como los tópicos globalizantes occidentales que tipifican la totalidad de México como peligrosa, el África subsahariana como acosada por enfermedades, el norte de Canadá como inmaculado y el centro de la ciudad de Detroit como violento. En resumen, el pensamiento geográfico crítico sobre los lugares constituye la mejor defensa ante las representaciones involuntarias o deliberadamente manipuladoras de distintas regiones de la superficie terrestre.

Conclusión

En 2007, Linda Lobao y dos colegas sostuvieron que la investigación sociológica sobre la desigualdad se preocupaba demasiado por la escala nacional y prestaba demasiada poca atención a las circunstancias contextuales[15]. Su interés en comprender las influencias relativas a la naturaleza del lugar –una de las preocupaciones centrales de la geografía– también se aplica en muchos otros campos. Normalmente, el lugar en el que algo ocurre afecta a lo que ocurre. Un esfuerzo por promover el desarrollo económico mediante el ofrecimiento de deducciones fiscales para atraer la actividad empresarial puede tener conse-

15. Linda Lobao, Gregory Hooks y Ann Tickamyer (eds.), *The Sociology of Spatial Inequality*, Albany, State University of New York Press, 2007.

cuencias socioeconómicas positivas en un sitio y negativas en otro, en función de la combinación de las empresas existentes en comunidades cercanas, las oportunidades locales de empleo y las condiciones laborales, así como de las actitudes de la comunidad local. La cría de ganado a orillas de cursos de agua tendrá distinto impacto en función de la vegetación, la topografía del suelo y el caudal de la corriente en el lugar donde se produzca. Lo fundamental es la importancia del contexto geográfico. Cuanta más atención se dedique a las influencias de índole local sobre los procesos físicos y humanos, tanto mejor apreciaremos la naturaleza y el significado de la subyacente diversidad del planeta.

4. Naturaleza y sociedad

Hace unos años, en mi universidad, participé en una conversación con un grupo de colegas acerca de la creación de un nuevo programa interdisciplinar centrado en la región germanoparlante de Europa. De ella surgió un buen número de excelentes sugerencias sobre los elementos que constituirían dicho programa: cursos de lengua y literatura alemanas, historia, economía, política, filosofía y música. Sin embargo, hasta mi intervención, nadie había hecho referencia alguna al medio natural, el uso de la tierra o los desafíos ecológicos. Aunque mi propuesta de tener en cuenta estos temas en el debate fue adoptada de inmediato, no dejó de asombrarme la comprobación de que, antes de que tomara yo la palabra, todo un grupo de personas de gran inteligencia y formación pudo pensar en lo necesario para comprender una parte del planeta sin tener en cuenta el medio físico o las relaciones de los seres humanos con él.

En el mundo actual, a pesar de que el cambio medioambiental de origen humano es objeto de una atención sin precedentes, la tendencia a tratar la humanidad y el mundo natural como dominios separados mantiene su vigor. La infraestructura moderna permite a la mayoría de los habitantes urbanos desvincularse del medio ambiente en su vida cotidiana (salvo en casos extremos, una gran tormenta es un inconveniente sin mayor importancia). No se trata a la naturaleza como parte integral de la existencia, sino como un lugar a donde se va y del que se tienen experiencias en salidas ocasionales de la ciudad. La mayoría de las universidades tienen secciones administrativas separadas para las ciencias naturales, las ciencias sociales y las humanidades, división reforzada por distintos decanos y protocolos de enseñanza e investigación. En la escuela primaria y la secundaria, los viajes al campo con los estudiantes son mucho menos comunes que antes, al tiempo que las aulas están cada vez más aisladas del mundo exterior. Como se lamentaba hace unos años en el *New York Times* Tim Dee, productor radial de la BBC y escritor: «Las mesas de naturaleza (mesas a las que los alumnos llevan temas que han descubierto al aire libre para allí desarrollarlos y discutirlos) no son hoy bien vistas en las escuelas. Se las considera sucias, tal vez peligrosas y potencialmente ilegales»[1].

Con esta perspectiva de fondo, no es sorprendente que, fuera del análisis de problemas medioambientales

1. Tim Dee, «Our Bleak Exile of Nature», *NewYork Times*, 1 de mayo de 2015. Disponible en https://www.nytimes.com/2015/05/02/opinion/our-bleak-exile-of-nature.html.

urgentes, se preste relativamente poca atención a la recíproca relación de sociedad y naturaleza. Esta tendencia puede ser contrarrestada si se piensa con sentido geográfico. El esfuerzo por entender la naturaleza variable de la superficie terrestre ilustra tanto acerca de la influencia física como de la humana. Centrar la atención en la naturaleza de un lugar como Venecia, en Italia, invita a reflexionar sobre qué ocurrió para que la población fuera a establecer la ciudad en un lugar tan inverosímil como es el corazón de una laguna, cómo conformaron su desarrollo las características hidrológicas, geomórficas, culturales y socioeconómicas del lugar y cuáles son los desafíos físicos y humanos del futuro. El paisaje de la ciudad –el carácter y la organización de los edificios, las calles, los canales, las plazas y las sendas peatonales– puede leerse como un libro que nos transmite historias sobre la conjunción de fuerzas que produjo la Venecia histórica y contemporánea.

Afrontar la cuestión de la dinámica entre naturaleza y sociedad es todo un reto debido a la complejidad de cada uno de los términos de la ecuación y a las grandes diferencias existentes en las teorías y los métodos adecuados para comprender el mundo físico y el humano. El no haber tomado en consideración estas complejidades alentó a algunos estudiosos de comienzos del siglo XX, incluidos geógrafos profesionales, a abrazar la idea de que el contexto ambiental determina los resultados culturales y sociales (posición que se conoce como determinismo medioambiental). Esa manera de pensar condujo a ciertas visiones del mundo alarmantemente simplistas, ahistóricas y a menudo racistas, como, por ejemplo, las afirmaciones de que la gente de los trópicos es indolente e incapaz de grandes esfuerzos porque así la ha hecho el medio ambiente. Cuando los geógrafos, entre otros, comenzaron a pensar más profundamente en las vinculaciones entre naturaleza y sociedad, la mayor parte de ellos abandonó esa manera de pensar, que, sin embargo, continúa manifestándose con cierta regularidad entre quienes durante los últimos setenta y cinco años permanecieron ajenos a la disciplina geográfica (argumento que por sí mismo abunda a favor de la importancia del estudio de la geografía)[2].

Tras el rechazo del determinismo medioambiental, muchos geógrafos comenzaron a centrarse únicamente en el mundo físico o en el humano. Sin embargo, un campo de investigación fundamentalmente interesado en la naturaleza de los lugares y las características y las consecuencias de diferentes disposiciones geográficas no puede ignorar por mucho tiempo las relaciones entre naturaleza y sociedad. Efectivamente, las últimas décadas han presenciado el florecimiento del trabajo geográfico sobre este tema. En realidad, de las disciplinas tradicionales, la geografía es hoy probablemente la que más centra su preocupación en observar las relaciones recíprocas de los procesos naturales y los humanos en la superficie de la Tierra.

No hay duda de que son muchos los científicos naturales y sociales implicados en cuestiones transversales a la división entre lo humano y lo físico. Para citar solo unos pocos

2. Véase, por ejemplo, Robert D. Kaplan, *The Revenge of Geography: What the Map Tells Us About Coming Conflicts and the Battle Against* Fate, Nueva York, Random House, 2012, y David S. Landes, *The Wealth and Poverty of Nations: Why Some Are So Rich and Some So Poor*, Nueva York, W. W. Norton & Company, 1999.

ejemplos, los químicos medioambientalistas observan los impactos de la contaminación de origen humano en la calidad del agua, los ecologistas forestales tratan de entender cómo afectan las acciones humanas a la diversidad de la flora y la fauna de los bosques y los juristas con orientación medioambiental buscan maneras de formular reglas y regulaciones capaces de reducir las emisiones producidas por la utilización de combustibles fósiles. Sin embargo, estos y otros esfuerzos por tender puentes sobre la brecha entre lo humano y el medio ambiente no vuelven irrelevante la investigación geográfica, pues la geografía ofrece perspectivas y técnicas que proporcionan visiones esclarecedoras del carácter espacial y material de las interrelaciones de naturaleza y sociedad tal como se dan en la superficie de la Tierra, e incluso estimula el pensamiento inquisitivo acerca de lugares y ecosistemas.

En el núcleo del enfoque geográfico de la dinámica entre lo humano y el medio ambiente se superponen tres preocupaciones distintas. Una se centra en los conocimientos que derivan del estudio de las distribuciones y los modelos relevantes para las relaciones entre naturaleza y sociedad y tiene origen en la tradición espacial de la geografía analizada en el capítulo 2. Una segunda preocupación proviene de la influencia de las características de escenarios o lugares particulares en las interacciones entre naturaleza y sociedad, consecuencia del interés geográfico por el lugar, del que se ha hablado en el capítulo 3. Una tercera característica del trabajo geográfico en la frontera entre naturaleza y sociedad es el interés por la manera en que las transformaciones humano-medioambientales en un lugar influyen y son a su vez influidas por cambios en otros lugares. Esta preocupación también llama la atención sobre la manera en que el espacio o la escala que se emplea para enmarcar problemas influyen en la comprensión de los mismos.

El estudio de las distribuciones y los modelos

En vista de las extraordinarias sequías que se producen en Sudáfrica y Mongolia, las inundaciones de las costas de Maldivas, los récords de temperatura que se registran en distintas regiones del planeta, así como el rápido retroceso de las capas de hielo en las proximidades de los polos, uno de los desafíos más importantes de nuestro tiempo consiste en hacerse una idea de cómo afectará el cambio climático a las distintas zonas de la superficie terrestre. Los mapas que muestran la mayor o menor vulnerabilidad de distintos lugares al cambio climático, de acuerdo con lo que se sabe del sistema climático, son útiles, pues proporcionan información sobre áreas para las que inundaciones, sequías y temperaturas extremas representan grandes amenazas. No obstante, estos mapas se limitan a arañar superficialmente lo que el interés geográfico por las distribuciones y los modelos nos puede decir, porque la vulnerabilidad al cambio climático no es simplemente un producto del cambio medioambiental desde el punto de vista físico, sino que también son importantes la naturaleza de las sociedades humanas y las instituciones a ella asociadas.

Sobre este telón de fondo resulta clara la importancia del profundo compromiso de la geografía con las organizaciones espaciales. Hay lugares que están en condiciones mucho mejores que otros para afrontar las consecuencias del cambio climático. Su capacidad de adaptación es mayor porque son más ricos, sus economías flexibles y diversificadas pueden asimilar bien el estrés, sus instituciones gubernamentales funcionan eficientemente y gozan de respeto, a la vez que su infraestructura les otorga una ventaja inicial. Tener en cuenta este tipo de factores es decisivo a la hora de entender la vulnerabilidad de los diferentes lugares al cambio climático. Esto es lo que hicieron (en colaboración con otros) los profesores Karen O'Brien, de la Universidad de Oslo, y Robin Leichenko, de la Rutgers University, en su estudio de la vulnerabilidad de las diferentes comunidades agrícolas al cambio climático en India[3]. Estos investigadores examinaron la distribución de los factores biofísico, económico, social y tecnológico, para confeccionar luego un mapa compuesto (lámina 7) que muestra la probabilidad de que la intersección de estos factores afecte allí a los modelos de vulnerabilidad. El mapa toma en consideración, por ejemplo, la mayor capacidad para afrontar la situación que presentan las áreas con muchos cultivos diferentes y en diferentes condiciones, en oposición a aquellas que, bajo la presión de las reformas neoliberales, han terminado por depender de la agricultura de monocultivo a gran escala y orientada a la exportación. En estas, un cambio que afectara el cultivo dominante podría tener consecuencias

3. K. O'Brien, R. Leichenko, U. Kelkar, H. Venema, G. Aandahl, H. Tompkins, A. Javed, S. Bhadwal, S. Barg, L. Nygaard y J. West, «Mapping Vulnerability to Multiple Stressors: Climate Change and Globalization in India», *Global Environmental Change*, 14:4, 2004, pp. 303-313.

devastadoras. También muestra las áreas que afrontan un problema de «exposición doble» debido a la vulnerabilidad añadida de sus economías agrícolas a la competencia de la importación.

El tipo de análisis que se ha adoptado en este estudio subraya el profundo interés de la geografía por las distribuciones y el modelo. Prácticamente todas las amenazas a la biodiversidad y a la pérdida del ecosistema muestran característicos, y a menudo reveladores, modelos espaciales. Por ejemplo, el análisis de la difusión de contaminantes en el espacio geográfico es esencial para comprender sus impactos en los sistemas naturales. El análisis de los mapas de datos es fundamental para la mayoría de los esfuerzos por predecir zonas vulnerables a la sequía y al hambre, entender las causas de las inundaciones y evaluar los impactos de determinadas prácticas de gestión forestal. El estudio de los cambios en la distribución espacial de una flora seleccionada aporta conocimiento sobre los impactos del cambio climático, las formas de gestión forestal, el uso de herbicidas y muchas otras cuestiones.

Pero el mapeo de datos no es un fin en sí mismo. Lo que hace realmente útil el estudio de las distribuciones y los modelos es la reflexión cuidadosa y creativa sobre qué debería mapearse, cómo podrían mapearse los fenómenos y qué hacer con las correlaciones resultantes de esos esfuerzos. Es en este punto en el que la importancia del estudio de la geografía resulta evidente, pues la formación geográfica no se limita a la familiaridad con el software de mapeo, sino que estriba sobre todo en aprender a formular preguntas adecuadas sobre los modelos y las distribuciones, lo que no solo ilumina acerca de desafíos prácticos (por ejemplo, dónde y cómo construir carreteras para minimizar los impactos sobre las migraciones de animales en estado salvaje), sino que puede también estimular la consideración de interconexiones desatendidas, aunque importantes, entre lo humano y el medio ambiente. Ese tipo de investigación es lo que ha llevado a estudiosos y a activistas a explorar los intensificados desafíos que afrontan muchas comunidades minoritarias como consecuencia de políticas y actividades que las exponen a elevadas amenazas medioambientales. La preocupación por esas cuestiones ha convertido a los analistas con mentalidad geográfica en importantes contribuyentes al movimiento de «justicia medioambiental», movimiento interesado en abordar la desigual distribución de los beneficios y las cargas del medio ambiente en las diferentes comunidades a causa de actitudes y prácticas racistas o clasistas[4]. Las evaluaciones geográficamente fundadas de los retos medioambientales que afrontan las comunidades marginales han contribuido a llamar la atención sobre las dimensiones medioambientales de la discriminación; en la actualidad, el estudio de la justicia medioambiental forma parte del currículo de geografía en muchas universidades y otros centros académicos.

El estudio de las distribuciones y los modelos geográficos se ha convertido, de esta manera, en un importante campo de investigación de las relaciones entre la actividad humana y el medio ambiente, que ha dado a su vez

4. Véase, por ejemplo, Laura Pulido, «Rethinking Environmental Racism: White Privilege and Urban Development in Southern California», *Annals of the Association of American Geographers*, 90:1, 2000, pp. 12-40.

origen a las principales iniciativas de investigación interdisciplinar, como el programa Land Change Science en Estados Unidos[5]. Como se describe en el sitio web del US Geological Survey,

> la superficie de la Tierra es un multifacético mosaico de paisajes naturales y culturales. Cada retazo de este mosaico forma parte de un espectro muy diverso e interconectado de paisajes que va de ecosistemas relativamente vírgenes a áreas urbanas e industriales completamente dominadas por la acción de los seres humanos. El mosaico no es estático, sino que cambia con frecuencia debido a las alteraciones resultantes de los fenómenos naturales y de las actividades humanas. En un esfuerzo por entender mejor estos cambios y sus impactos asociados ha surgido un nuevo terreno de estudio conocido como Land Change Science [Ciencia del Cambio de Paisaje][6].

Los geógrafos han desempeñado un papel decisivo en la promoción del programa Land Change Science, lo que es un elocuente ejemplo de las contribuciones que el análisis geográfico de los modelos y las distribuciones puede realizar al esfuerzo por una mejor comprensión de las relaciones de naturaleza y sociedad.

5. B. L. Turner, Eric F. Landin y Anette Reenberg, «The Emergence of Land Change Science for Global Environmental Change and Sustainability», *Proceedings of the National Academy of Sciences of the United States of America*, 104:52, 2007, pp. 20666-20671.
6. United States Geological Survey, *Land Change Science* Program, sitio web, 2 de diciembre de 2016. Disponible en https://www2.usgs.gov/climate_landuse/lcs/.

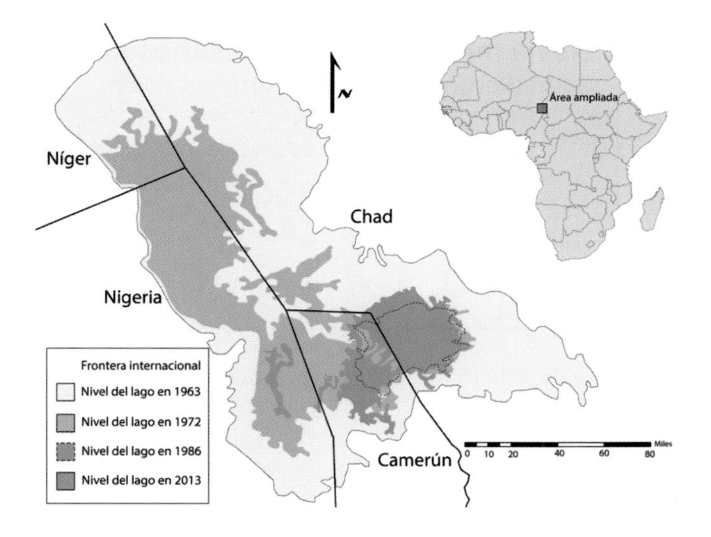

Lámina 1. La impresionante reducción del Lago Chad.

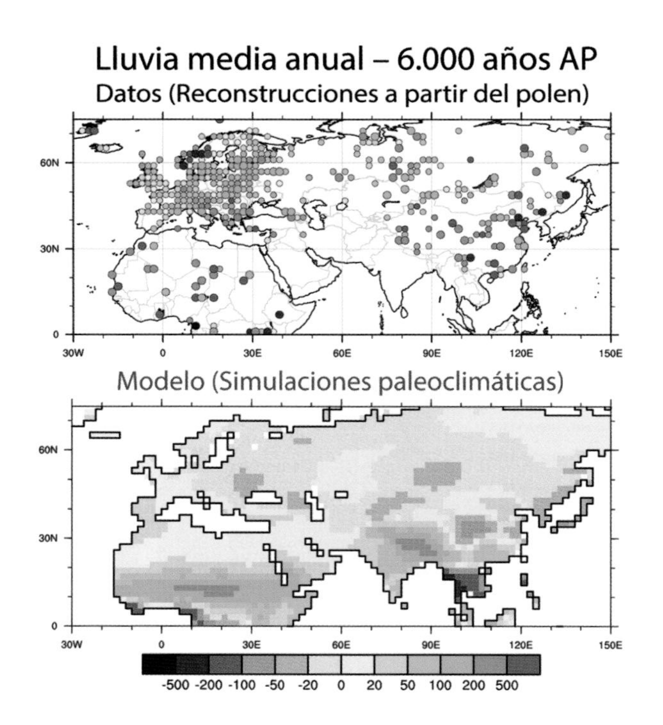

Lámina 2. Mapas comparativos que ayudan a perfeccionar los modelos geográficos.

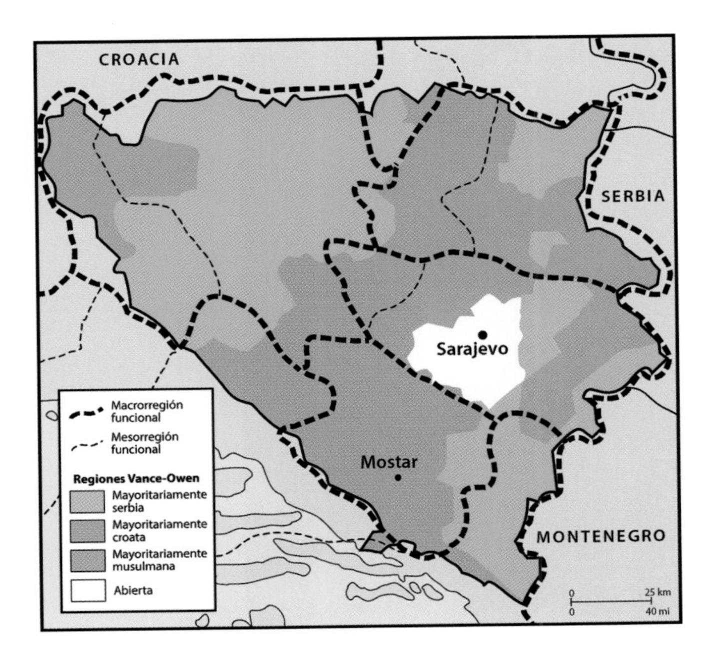

Lámina 3. Análisis geográfico de un plan de división propuesto para Bosnia-Herzegovina en 1993.

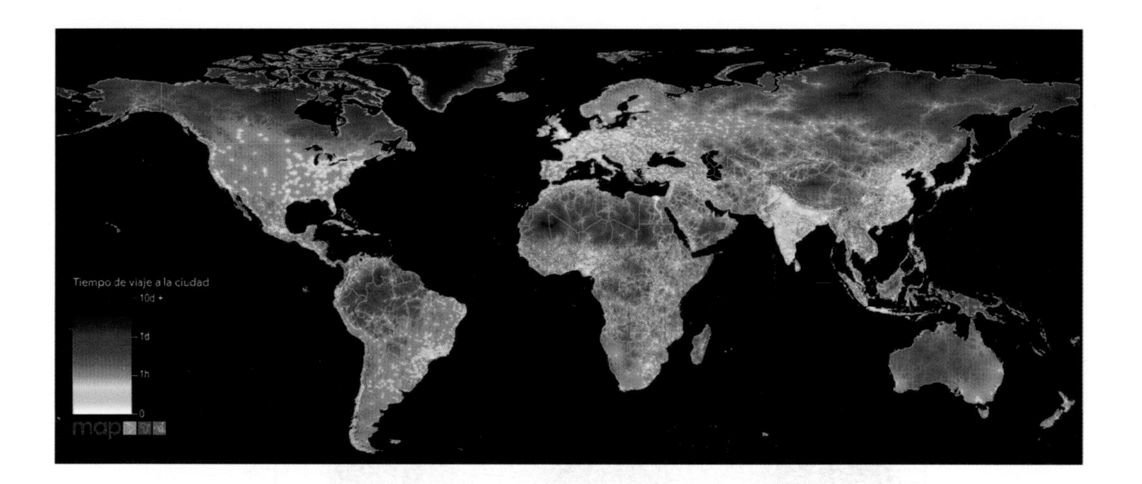

Lámina 4. Mapa global del tiempo de viaje a las ciudades en 2015.

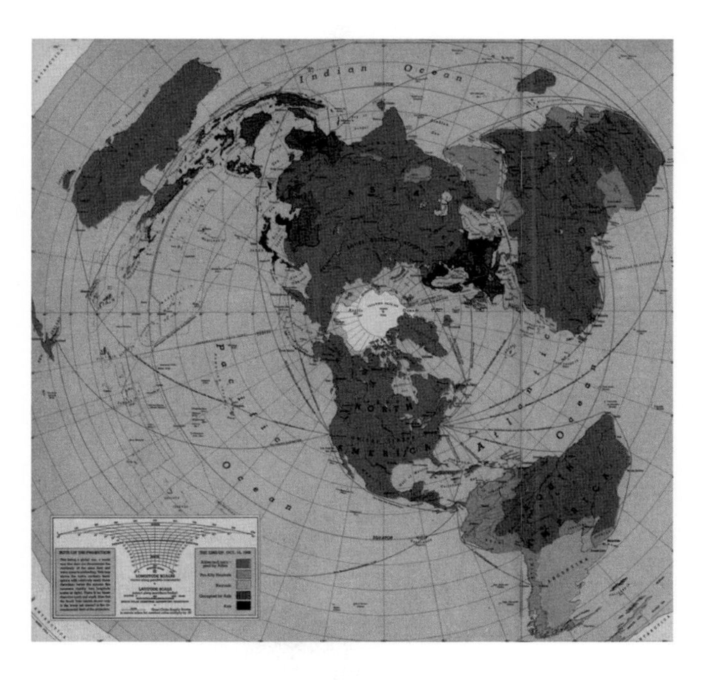

Lámina 5. Proyección polar de 1944 que pone de relieve la proximidad de los Estados Unidos y la Unión Soviética.

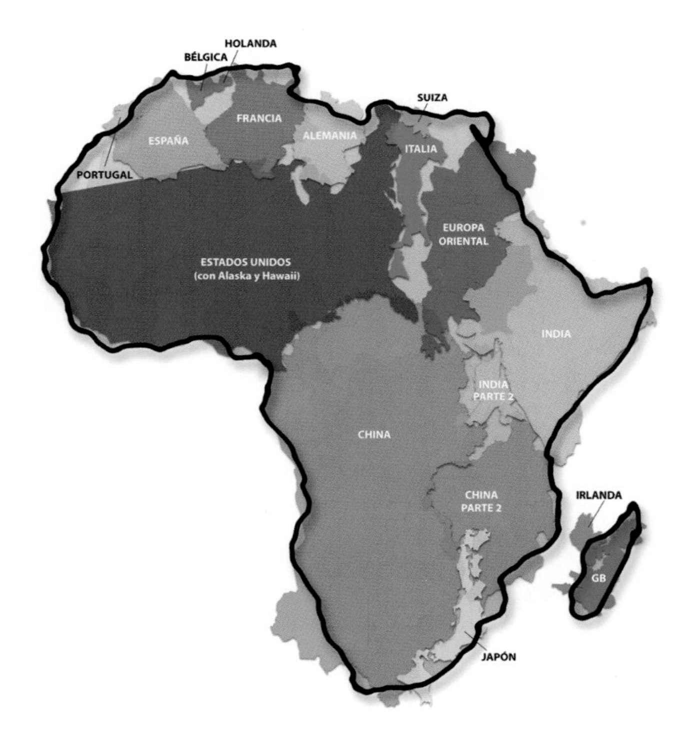

Lámina 6. Visualización de la extensión real de África.

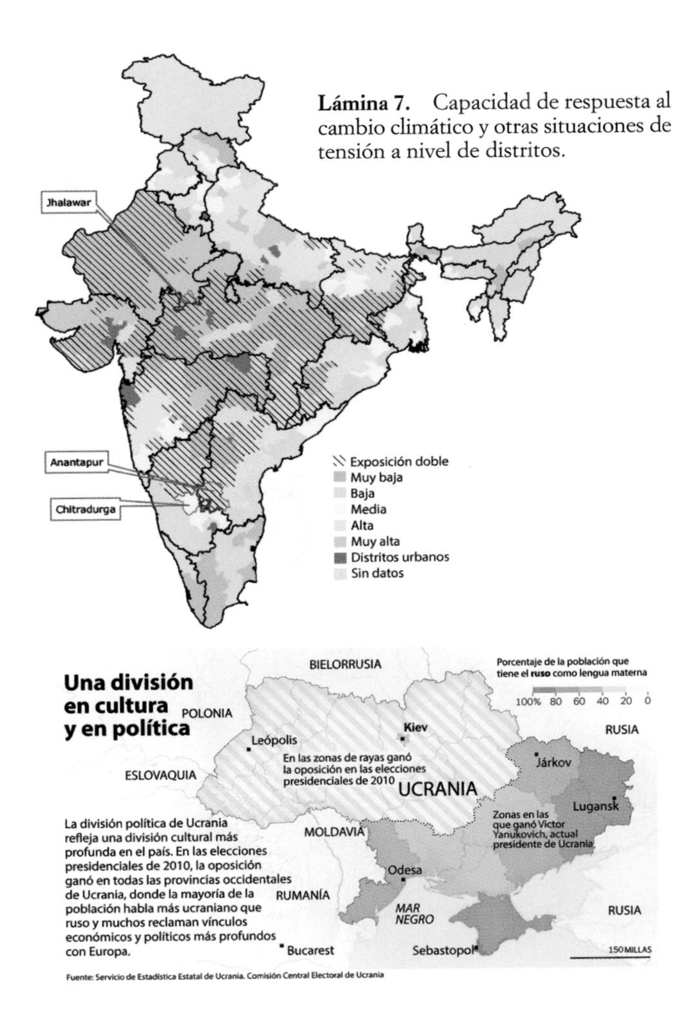

Lámina 7. Capacidad de respuesta al cambio climático y otras situaciones de tensión a nivel de distritos.

Lámina 8. Situación política y etnolingüística en Ucrania a comienzos de 2014.

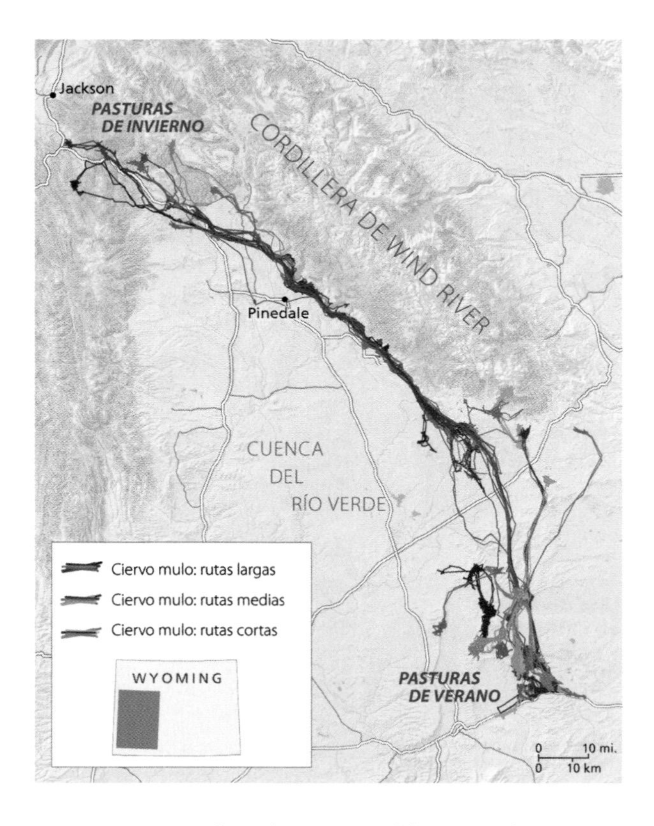

Lámina 9. Los corredores de migración del ciervo mulo en Wyoming occidental.

La influencia de los lugares en las interacciones entre actividad humana y medio ambiente

Muchos de los avances del siglo pasado han sido obra de personas inmersas en problemas particulares, como, por ejemplo, el almacenamiento de energía en una batería o la secuenciación del genoma humano. Sin embargo, el inconveniente de la tendencia a la especialización consiste en que puede conspirar contra la actitud integradora que es preciso adoptar a la hora de abordar desafíos humano-medioambientales complejos. El hecho de centrar la atención en la naturaleza y la importancia del contexto geográfico –de los lugares– cumple una importante función en la estimulación de este tipo de mentalidad.

Un ejemplo a este respecto es el trabajo pionero de Gilbert White sobre el asentamiento humano en los terrenos inundables de Estados Unidos[7]. Durante las primeras décadas del siglo XX, la gestión de estas tierras se consideraba en gran medida un problema de ingeniería; en consecuencia, se construyó una gran cantidad de presas y diques, de modo que el número de personas que se estableció en zonas inundables creció constantemente. La inclinación geográfica de White lo indujo a cuestionar el acierto del enfoque que concebía la gestión de los terrenos inundables simplemente como un desafío tecnológico. Para él, estas tierras constituían sistemas complejos cuya gestión requería un enfoque centrado en la acomodación

7. Gilbert F. White, *Human Adjustment to Floods: A Geographical Approach to the Flood Problem in the United States*, Chicago, University of Chicago Geography Research Series nº 29, 1945.

y la adaptación. Por tanto, defendió políticas que desalentaran los asentamientos en localizaciones extremadamente vulnerables y fijó en cambio la atención en el equilibrio entre los factores humanos y los naturales. En ese proceso contribuyó a la apertura de un nuevo campo de estudio, la geografía del riesgo, aún hoy una pujante subdisciplina geográfica. Lamentablemente, las experiencias de lugares como Nueva Orleans tras el huracán Katrina parecen demostrar el acierto del enfoque de White sobre la gestión de la tierra inundable, pese a lo cual a menudo sus lecciones se han hundido rápidamente en el olvido.

La importancia de este tipo de pensamiento geográfico holístico que defendió White se extiende a muchos otros aspectos de la dinámica entre naturaleza y sociedad. Con ocasión de su lucha con el problema de la erosión del suelo en los países en desarrollo a comienzos de la década de los ochenta del siglo pasado, el geógrafo Piers Blaikie, de la East Anglia University, comenzó a poner en tela de juicio la idea predominante según la cual la pérdida de suelo era atribuible exclusivamente a mala gestión, superpoblación o cambio en la situación ecológica. Observando un caso nepalés a través de la lente geográfica, Blaikie advirtió que había en juego otros factores, el más obvio de los cuales era el de las presiones económicas y políticas que empujaban a los agricultores pobres a las pendientes más abruptas, cuya labranza era imposible llevar a cabo sin exponer los suelos a una severa erosión[8]. El trabajo de Blaikie sirvió para catalizar el posterior desarrollo del ámbito emergente

8. Piers Blaikie, *The Political Economy of Soil Erosion in Developing Countries,* Abingdon, Oxon, Longman Scientific and Technical, 1985.

de la ecología política y estimular a los interesados en este tema a considerar la influencia de las expresiones locales y regionales de la organización político-económica sobre la conformación de los resultados ecológicos.

Durante las tres últimas décadas, estudios realizados sobre diversos problemas humano-medioambientales han demostrado la importancia de tener seriamente en cuenta el contexto geográfico. Diana Liverman, geógrafa de la Universidad de Arizona, por ejemplo, se dispuso a comprobar si las condiciones locales tenían un papel significativo en las luchas de los agricultores para hacer frente a la sequía en los estados mexicanos de Sonora y Puebla[9]. Liverman descubrió que las variaciones en los déficits de precipitación pluvial no podían explicar adecuadamente por qué las pérdidas agrícolas eran mayores en unas zonas que en otras. Por el contrario, llegó a la conclusión de que con mayor frecuencia las pérdidas se debían a la falta de acceso a la tecnología de riego y al régimen de tenencia de la tierra, que dejaba a los agricultores locales escaso control sobre el uso del suelo o sobre las decisiones que se tomaban a este respecto. El trabajo más reciente en otros lugares ha confirmado la amplia aplicabilidad de este punto de vista.

Los estudios realizados con arreglo a estas líneas de pensamiento muestran de manera consistente que, sin hacer referencia a la combinación de la organización institucional, el régimen económico, las circunstancias

9. Diana M. Liverman, «Drought Impacts in Mexico: Climate, Agriculture, Technology, and Land Tenure in Sonora and Puebla», *Annals of the Association of American Geographers*, 80:1,1990, pp. 49-72.

sociales y las normas culturales propias de los diferentes lugares, es imposible explicar adecuadamente la vulnerabilidad al cambio climático, las conmociones económicas y las plagas de las poblaciones agrícolas y los sistemas de producción de alimento[10]. Dichos estudios cuestionan abiertamente las generalizaciones simplistas, tales como la afirmación de que las condiciones de tensión debidas al cambio climático son directamente responsables de los conflictos que afectan a las regiones menos industrializadas del mundo. Un estudio de varios años sobre las luchas armadas en el África Subsahariana realizado por John O'Loughlin, geógrafo de la Universidad de Colorado, junto con colegas de la misma universidad, expuso la falacia de esta afirmación y mostró que los conflictos de la región tenían más relación con factores económicos y políticos locales que con problemas relacionados con el cambio climático[11].

Tener presente el contexto geográfico también puede llamar la atención sobre las prácticas humanas que operan contra la sostenibilidad del medio ambiente. Durante gran parte de su historia, ciudades como Phoenix, en Arizona, y Doha, en Qatar, se desarrollaron casi sin referencia al medio físico circundante. La mayor sensibilidad contemporánea a las cuestiones medioambientales ha

10. Véase, por ejemplo, Hallie Eakin, Alexandra Winkels y Jan Sendzimir, «Nested Vulnerability: Exploring Cross-Scale Linkages and Vulnerability Teleconnections in Mexican and Vietnamese Coffee Systems», *Environmental Science & Policy*, 12:4, 2009, pp. 398-412.
11. John O'Loughlin, Frank Witmer, Andrew Linke, Arlene Laing, Andrew Gettelman y Jimy Dudhia, «Climate Variability and Conflict Risk in East Africa, 1990-2009», *Proceedings of the National Academy of Sciences of the United States of America*, 109:45, 2012, pp. 18344-18349.

dado lugar a ciertos esfuerzos por cambiar de orientación, pero allí y en muchos otros lugares la humanidad está solo comenzando a luchar en serio contra las incoherencias existentes entre la forma urbana y el contexto biofísico. Hoy, los paisajes urbanos de un gran número de ciudades en rápido crecimiento en todo el mundo reflejan concepciones parecidas acerca del aspecto que se supone que ha de tener una ciudad global, así como ideas semejantes sobre los tipos de desarrollo urbano que simbolizan poder y estatus. Los mismos arquitectos, las mismas estructuras e idénticos diseños emergen una y otra vez, sea cual fuere el escenario físico-medioambiental local.

Las ideas que han influido en el desarrollo de estas ciudades, así como los paisajes que de ellas derivaron, son esencialmente insensibles al lugar: «sin lugar», en el sentido en que, como ya se ha visto, emplea la expresión el geógrafo Edward Relph (esto es, aisladas del contexto local). El resultado de esto son los desarrollos urbanos en escasa sintonía con el medio ambiente que los rodea. Piénsese, por ejemplo, en los extensos campos de césped que rodean Phoenix, Arizona, en las monumentales fuentes de Astana, en Kazajstán, y en las exuberantes islas frente a la costa de Dubai, todo ello en contradicción con sus respectivos escenarios desérticos. Para modificar de una manera significativa el curso de los acontecimientos serán necesarias nuevas maneras de pensar, que hundan sus raíces en un profundo compromiso geográfico con el lugar, junto con cambios en la voluntad política.

Interconexiones en el espacio y escala

Ante la preocupación, hace unos años, por la mengua de las cosechas en una zona de Corea del Sur castigada por la sequía, el Daewoo Group, una de las principales corporaciones de la nación, llegó a un acuerdo con el gobierno de Madagascar por el que se aseguraba el envío a Seúl de remesas de cereales casi equivalentes a la mitad del producto de sus tierras cultivables[12]. Las revueltas en Madagascar contra los términos del acuerdo demostraron que sus consecuencias eran enormemente problemáticas y es probable que algo tuvieran que ver con la destitución del presidente. Pocos años después, en China, la creciente conciencia de los beneficios de las nueces para la salud condujo a un aumento de la demanda de este producto, lo que a su vez provocó significativos cambios en el uso del suelo en el norte del Valle Central de California, donde tierras que se dedicaban a otros cultivos y suelos ociosos se convirtieron en huertos de nogales, con las correspondientes implicaciones en el uso del agua, la erosión edafológica y las necesidades de mano de obra.

Estos y otros incontables ejemplos muestran que la comprensión de la dinámica entre actividad humana y medio ambiente requiere la consideración de las conexiones en el espacio geográfico. Lo que ocurre en un lugar se ve muchas veces afectado por lo que ocurre en otro lugar, que es igualmente afectado a su vez. La importancia del

12. Para un análisis general de esta cuestión, véase William G. Moseley, Eric Perramond, Holly M. Hapke y Paul Laris, *An Introduction to Human-Environment Geography: Local Dynamics and Global Processes,* Hoboken, NJ, John Wiley & Sons, 2013.

seguimiento de esas conexiones nos recuerda una vez más el valor del pensamiento geográfico, dado su énfasis en la localización de los acontecimientos y las circunstancias individuales en una red más amplia de condiciones y de sucesos. No parece complicado concluir que el aumento de las emisiones de gas de efecto invernadero en China en los últimos veinte años fue el resultado de una estrategia demasiado simple de desarrollo interno; sin embargo, también es importante tener en cuenta que la externalización de la producción de los países occidentales a China, junto con el cambio en la localización de las industrias generadoras de contaminación, ha convertido a aquel país en un gran emisor de dióxido de carbono[13].

El seguimiento y el análisis de las conexiones en el espacio son sin duda decisivos para cualquier esfuerzo serio por hacer frente a los desafíos a la sostenibilidad medioambiental. Piénsese en el movimiento en pro de los alimentos orgánicos locales que ha echado raíces en Estados Unidos y Europa en las dos últimas décadas. El movimiento fue impulsado por el deseo de promover agriculturas locales sostenibles y reducir los impactos medioambientales del transporte de bienes de consumo cotidianos. Pese a sus encomiables fines, una cierta miopía geográfica se hizo evidente cuando los partidarios del movimiento comenzaron a pedir a sus respectivos gobiernos que restringieran los productos orgánicos que llegaban de países en desarrollo. Tal fue la actitud que adoptó

13. Joshua Muldavin, «From Rural Transformation to Global Integration: Comparative Analyses of the Environmental Conditions of China's Rise», *Eurasian Geography and Economics*, 54:3, 2013, pp. 259-279.

hace unos años la Soil Association, grupo con base en Gran Bretaña que se dedica a la defensa de la agricultura orgánica y sostenible en el país. Sin embargo, un artículo de opinión que apareció en el *San Francisco Chronicle*, escrito por el geógrafo William Moseley, del Macalester College, llamaba la atención sobre un problema que se había pasado por alto[14]. Si los europeos y los norteamericanos dejaran de comprar productos orgánicos procedentes de África, México y América Central, los agricultores de esas regiones que se dedican a este tipo de cultivos se verían en la práctica obligados a volver a la agricultura de exportación a base de pesticidas y herbicidas, con graves consecuencias de carácter medioambiental y social. Si se hace caso omiso de este tipo de conexiones, es imposible desarrollar políticas que redunden en beneficio de la gente y el medio ambiente.

El interés de la geografía por las cuestiones relativas a la interconexión de lo humano y el medio ambiente implica la exploración de redes y flujos que conectan entre sí distintos lugares y la investigación de la influencia que las prácticas de producción y de consumo en un lugar tienen sobre la dinámica humano-medioambiental en otros. Esto implica también una perspectiva crítica de los espacios y las escalas que se emplean como marco de referencia de los análisis y las interpretaciones de la dinámica entre naturaleza y sociedad, tema importante dada la gran extensión del encuadre geográfico acrítico de las

14. William G. Moseley, «Farmers in Developing World Hurt by "Eat Local" Philosophy in US», *San Francisco Chronicle*, 18 de noviembre de 2007. Disponible en https://www.sfgate.com/opinion/article/Farmers-in-developing-world-hurt-by-eat-local-3301224.php.

cuestiones humano-medioambientales. Son incontables los artículos y los comentarios que se refieren a los problemas de contaminación atmosférica en China, las presiones poblacionales en el África Subsahariana, la pérdida de biodiversidad en la Amazonia, la retracción de los glaciares en Alaska y el papel del «Sur Global» en las negociaciones globales sobre el clima. Sin embargo, cada una de estas cuestiones lleva implícita una delimitación espacial particular (a menudo no examinada) de un problema que puede ocultar tanto como lo que desvela. La contaminación no se detiene en las fronteras de China, sus causas no son simplemente chinas y el alcance del problema varía enormemente según el país. En Alaska, aun cuando la mayoría de los glaciares está en retracción, unos pocos aumentan de tamaño, pero eso, siempre que se centre la atención en procesos físicos más allá de los confines de Alaska, no refuta en absoluto que el planeta se esté calentando. Aparte de la incorrecta denominación geográfica, que conlleva en cierto modo el sentido de que una dirección de la brújula está inexorablemente ligada a un conjunto particular de características sociopolíticas y económicas (encuadre con connotaciones de determinismo medioambiental), el llamado «Sur Global» presenta una enorme heterogeneidad, pues está compuesto por países, regiones y ciudades cuyo compromiso en las negociaciones sobre cambio climático es extraordinariamente variable[15].

15. Para una crítica de la denominación «Sur Gobal», véase Alexander B. Murphy, «Advancing Geographical Understanding: Why Engaging Grand Regional Narratives Matters», *Dialogues in Human Geography* 3:2, 2013, pp. 131-149.

Si prestamos atención a nuestras premisas geográficas, advertimos que lo que tiene sentido social y medioambiental en un escenario, no lo tiene necesariamente en otro. La agricultura urbana es una práctica común en muchas ciudades en zonas no industrializadas del mundo, donde presenta muchas ventajas. En el caso de Dar es-Salam, en Tanzania, por ejemplo, grandes extensiones agrícolas urbanas proporcionan espacios verdes y frescos donde la gente puede comunicarse, intercambiar novedades e implicarse en la solución creativa de un problema y en los que se realizan reuniones políticas, pero serían inadecuados para otros tipos de desarrollo en los que se cultivasen frutas y vegetales sanos y nutritivos. Constituyen fuentes de empleo y de ingresos para los agricultores y para quienes montan negocios contiguos (merenderos, pequeños puestos de vendedores al menudeo) con el fin de proveer de productos agrícolas a sus clientes. Además, proporcionan itinerarios para atravesar la ciudad que la mayoría de la gente considera más protegidos de la delincuencia. Por último, estimulan la independencia y un sentimiento de orgullo entre quienes se dedican a su cultivo[16].

Sin embargo, como consecuencia de la influencia ejercida por la idea de origen europeo y norteamericano según la cual la agricultura urbana a gran escala es señal de atraso, un obstáculo al desarrollo de una ciudad moderna

16. El análisis se inspira en Leslie McLees, «Intersections and Material Flow on Open-Space Farms in Dar es Salaam, Tanzania», en Antoinette WinklerPrins (ed.), *Global Urban Agriculture: Convergence of Theory and Practice between North and* South, Wallingford, UK, CABI International, 2017, pp. 146-158.

y próspera, ciudades como Dar es-Salam han debido hacer frente a fuertes presiones para que redujeran la extensión de tierra que dedicaban al cultivo de frutas y vegetales. Incluso los occidentales que se resisten a esta lógica miran con recelo los huertos de Dar es-Salam, porque carecen del orden y la pulcritud de los lotes que están acostumbrados a ver. Sin un análisis serio de la conveniencia de orientar las decisiones de planificación urbana de un lugar ajustándose a las normas de urbanización de otra parte del mundo –que es el tipo de análisis que la geografía estimula–, es casi seguro que se pasarán por alto las consecuencias perjudiciales que para los intereses locales tiene la importación de normas foráneas.

Análogamente, los esfuerzos por promover el desarrollo socioeconómico y medioambiental en las regiones más pobres del mundo suelen fracasar porque las ideas de carácter general acerca de cómo intervenir, al chocar con las circunstancias locales, tienen consecuencias inesperadas. Por mencionar un ejemplo muy difundido, el Millennium Villages Project que defendió Jeffrey Sachs, profesor de la Universidad de Columbia, produjo un flujo de dinero y de infraestructuras hacia Dertu, Kenia (entre otras ciudades). Sin embargo, tras un promisorio comienzo, el proyecto terminó minando organizaciones y maneras tradicionales de vivir, pues al atraer muchos nuevos residentes a la ciudad debilitó la función de escala para nómadas que la caracterizaba. Los resultados fueron descritos en una entrevista por Nina Munk, autora de *The Idealist: Jeffrey Sachs and the Quest to End Poverty*, en estos términos:

> Vivían entonces realmente en una miseria que no había visto en mi primera visita: chabolas hacinadas y reparadas con esos horribles sacos de poliuretano que se ven por toda África [...] arroyos de inmundicias que bajaban entre las chozas apretadas unas contra otras y letrinas anegadas o atascadas. Y no eran capaces de ponerse de acuerdo sobre quién los mantendría con su trabajo. Y había zanjas repletas de basura. La verdad..., la verdad es que me rompió el corazón[17].

En nuestro mundo cada vez más interconectado, los lugares se influyen unos a otros produciendo profundos impactos sociales y medioambientales. Para entender esos impactos hace falta tener en cuenta seriamente la variabilidad geográfica, así como prestar cuidadosa atención a las impresiones que nos llegan de gente que vive en distintos lugares. Dada la larga marginación que la geografía ha impuesto al conocimiento local, no deja de haber en esto cierta ironía. Pero en la medida en que el pensamiento geográfico sobre el lugar maduró, los problemas que esta actitud provocaba resultaron cada vez más evidentes y surgió una disciplina moderna que, junto con la antropología, se halla entre las más afines al valor y la información que proceden del conocimiento local. Sin ella es imposible ningún abordaje serio de las complejidades sociales y medioambientales del planeta.

17. Cita de Michael Hobbes en «Stop Trying to Save the World», *New Republic*, 17 de noviembre de 2014. Disponible en https://newrepublic.com/article/120178/problem-international-development-and-plan-fix-it.

Conclusión

La rigidez de las líneas que a menudo separan las ciencias naturales de las sociales y las humanidades –y que deben su subsistencia a facultades independientes de ciencias naturales y de ciencias sociales, programas de formación que raramente trascienden la división entre lo humano y lo físico y la inercia de tradiciones de investigación en el seno de disciplinas que se ven a sí mismas a uno u otro lado de dicha división– supone que el trabajo transversal es algo difícil de encontrar. La situación está cambiando ante la evidencia, en rápido crecimiento, de la intensidad y la extensión con la que los seres humanos están hoy alterando el medio ambiente del que depende su existencia. Dada la magnitud del reto, para abordarlo serán necesarios los esfuerzos procedentes de diferentes marcos de referencia y de distintas perspectivas.

La geografía moderna es solo uno de esos esfuerzos, pero es importante. Su preocupación por las disposiciones espaciales ofrece una aproximación a la organización, el despliegue y el análisis de la información que ilustra sobre lo que ocurre; sus preocupaciones de índole local promueven la reflexión sobre las importantes interconexiones que atraviesan la división entre lo humano y lo físico; su preocupación por el contexto esclarece las maneras en que los procesos se ven afectados por las circunstancias presentes en localizaciones específicas, y su insistencia en la formulación de interrogantes críticos sobre cómo y en qué escala dividimos el mundo centra la atención en las ventajas y las limitaciones de las diferentes aproximaciones a las cuestiones relativas a la interconexión de naturaleza y sociedad. Pensar con mentalidad geográfica es tener la mente abierta a un abanico de fuerzas, tanto biofísicas como humanas, que modelan los lugares y los espacios que forman el planeta, a la vez que son modeladas por ellos. En un mundo cada vez más amenazado por una presencia humana cada vez más dominante y rapaz, este modo de pensar es de una extremada urgencia.

5. ¿Por qué la geografía es una necesidad para todos?

El valor de la geografía va más allá de sus sustanciales contribuciones analíticas a la investigación, la política y la planificación. También es fundamental su papel en la educación de una población informada, comprometida, cultivada. Hay personas que culminan una carrera de nivel superior en geografía y luego se dedican a la docencia en escuelas primarias y secundarias o en universidades; otras se inspiran en las ideas, perspectivas y habilidades que han adquirido en sus estudios de geografía para llegar a públicos más amplios; y también las hay que reconocen que el estudio de la geografía les ha abierto la conciencia de su lugar en el mundo y refinado la sensibilidad a su complejidad, a la vez que ha incrementado la curiosidad por otras personas y otros lugares. Pero sea cual fuere el modo en que se la adquiera, la educación geográfica es esencial, pues la familiaridad con la geografía –y con las maneras de pensar a ella asociadas– puede abrir los ojos a la riqueza y la diversidad del mundo, contribuir al desarrollo de una ciudadanía informada y proporcionar agudas percepciones y visiones del presente y de posibles futuros.

Piénsese por un momento en lo que se perdería si la geografía no formara parte del programa educativo. Tal vez los estudiantes nunca fueran animados a desarrollar siquiera una comprensión elemental de la organización medioambiental, política y cultural del mundo, ni se sentirían jamás estimulados a considerar el paisaje como una ventana abierta a procesos humanos y físicos. Es posible que ignorasen para siempre el reto de pensar en las semejanzas y las diferencias del lugar en el que viven respecto de otros lugares del mundo en cuanto a organización espacial y carácter material, así como que nunca llegaran a saber demasiado de las potencialidades y las limitaciones de las tecnologías geoespaciales cuyo uso se expande incesantemente por doquier (GPS, GIS, aplicaciones informáticas de mapeo, teledetectores). Acaso pasarían toda la vida sin enterarse de que los mapas pueden utilizarse tanto para transmitir información como para distorsionarla, y es posible que nadie les invitara nunca a reflexionar sobre las profundas relaciones entre naturaleza y sociedad, o que jamás tuvieran oportunidad de desarrollar las herramientas intelectuales necesarias para comprender o desafiar demandas políticas y propuestas estratégicas en relación con el medio ambiente.

Sin duda, para apreciar qué es lo que la geografía ofrece es necesario trascender la chata concepción topológica de la misma, que lamentablemente sigue siendo tan común no solo entre el público en general, sino incluso en el campo de la política, donde el interés geográfico por la diferencia y la diversidad introduce complejidades que suelen dejarse deliberadamente de lado. Sin embargo, dada la potencialidad de la geografía para despertar la conciencia a un mundo más amplio, mejorar la vida de la gente y fortalecer la sociedad civil y la gestión política, así como para facilitar el conocimiento y el uso de las tecnologías geoespaciales, cuyo empleo se impone cada día con más fuerza, no es difícil exponer un argumento convincente a favor de esta disciplina.

Por el despertar de la conciencia a un mundo más amplio

En la era hiperconectada de nuestros días, la mayoría de la gente sabe algo de otros lugares. Pero caben serias dudas sobre el alcance de ese conocimiento. Desde el punto de vista geográfico, el aspecto más visible del problema nos lo muestran las historias acerca de personas que dan por supuesto que África es un país, piensan que los tailandeses son originarios de Taiwán o no saben que los Andes están en América de Sur. Una encuesta muy difundida que realizó el National Geographic-Roper en 2006 en Estados Unidos revela que solo uno de cada diez sujetos de entre dieciocho y veinticuatro años fue capaz de situar correctamente a Afganistán en un mapamundi, mientras que cerca de la mitad creía que Sudán está en

Asia[1]. (Lamentablemente, los sujetos interrogados en el Reino Unido y en Canadá no arrojaron resultados mucho mejores, pese a que la geografía tiene en estos países un lugar más destacado en la educación.) Ni siquiera se sostiene el dicho tan citado –y de origen desconocido– según el cual «la guerra es el medio por el que Dios enseña geografía a los norteamericanos». En la misma encuesta, el 63 % de los jóvenes norteamericanos no pudo localizar Irak en un mapa, a pesar de que tres años antes había sido invadido por Estados Unidos y aún continuaba apareciendo cotidianamente en las noticias.

Es evidente que algo falla cuando un porcentaje significativo de la población de países con la proyección mundial de Estados Unidos o Gran Bretaña tiene tan poco conocimiento de datos básicos de localización. Efectivamente, sin un conocimiento topográfico elemental es imposible incluso empezar a analizar seriamente qué sucede en el mundo. Pero reducir el problema de la ignorancia geográfica a hechos de localización corre el riesgo de reforzar la visión topográfica simplista de la disciplina a la que ya se ha hecho referencia. En efecto, para una conciencia geográfica global básica, saber localizar lugares o acontecimientos puede ser menos importante que saber que en Indonesia viven más musulmanes que en ningún otro país, que la Amazonia alberga la mayor biodiversidad de la Tierra, que la Unión Europea es el mayor socio comercial de Estados Unidos, que

1. Roper Public Affairs and National Geographic, *2006 Geographic Literacy Study*, Nueva York, GfK NOP, 2006. Disponible en https://media.national.geographic.org/assets/file/NGS-Roper-2006-Report.pdf.

el calentamiento del agua puede dar lugar a huracanes más violentos, que el derretimiento de las capas de hielo aumenta los niveles del mar, que cuando es verano en Sudáfrica es invierno en Europa o que son pocos los países con homogeneidad étnica (por mencionar solo unos pocos ejemplos).

Aunque podría parecer que este puñado de conocimientos básicos de geografía es apenas algo más que un conjunto de trivialidades, su importancia resulta tan decisiva para la comprensión del contexto humano y medioambiental en el que está inserta la humanidad como la del conocimiento de hechos históricos básicos para captar el sentido de la evolución de la historia humana. En esta época dominada por la interconexión, no tener idea de la composición medioambiental, social, política y cultural de la Tierra es como vivir en un dormitorio de la planta baja de una casa sin tener idea alguna del tamaño y la forma general de su estructura, de cómo son las habitaciones de la planta alta ni de cómo se distribuyen. En resumen: para dar un sentido al planeta en que vivimos y contextualizar desarrollos y acontecimientos en su marco son indispensables ciertas nociones básicas de modelos y procesos geográficos.

El enriquecimiento de la conciencia geográfica también puede desempeñar un papel importante en la potenciación de lo que el público tiene derecho a esperar de la información de los medios de comunicación y de las instancias políticas responsables del desarrollo en el mundo entero. Inmediatamente después del estallido del conflicto que tuvo lugar en Ucrania a comienzos de 2014, pocos fueron los comentaristas que ofrecieron información significativa acerca de las circunstancias históricas o etno-territoriales pertinentes. Una excepción fue una información del *New York International*, a la que acompañaba el mapa que se reproduce aquí en la lámina 8. Ese mapa, diseñado por un editor gráfico con un importante marco geográfico de referencia (Derek Watkins), presentaba perspectivas reveladoras acerca de las divisiones que desgarraban el país: por un lado, la división entre oriente y occidente, que correspondía, respectivamente, a la división entre las áreas de población con el ucraniano como lengua nativa y las áreas de población con el ruso como lengua nativa; por otro lado, la relación entre esa división y las elecciones que llevaron al poder al líder prorruso Victor Yanukóvich y la situación de Ucrania en relación con otros países. En ausencia de una población general capaz de apreciar la información que un mapa como este entraña y con habilidad suficiente para entenderla e interpretarla, desaparecerá el incentivo para elaborar esos productos cartográficos. Una población con educación geográfica, por tanto, tiene un papel que cumplir en la lucha contra la tendencia hacia evaluaciones cada vez más superficiales de las complejas situaciones que se dan en el planeta[2].

La exposición a la geografía también puede despertar el interés y la curiosidad por otras gentes, otros lugares y otros paisajes. Son innumerables las historias de imaginativas creaciones infantiles bajo el estímulo de la contem-

2. Sobre este punto, véase Daniel Hallin, «Whatever Happened to the News?», (Center for Media Literacy, s.f.). Disponible en http://www.medialit.org/reading-room/whatever-happened-news.

plación de un atlas o la lectura de una descripción geográfica de otro lugar.

Es difícil sobreestimar el valor de la ampliación de la curiosidad geográfica. No solo alienta a completar la representación mental de las piezas que conforman la estructura física y humana de la Tierra, sino que también, al reducir la tendencia a la adopción de estereotipos cuestionables sobre otras gentes y lugares, realza la captación de la diferencia, brinda las herramientas para pensar en el aspecto que presenta el mundo cuando es contemplado desde otro sitio y sensibiliza a la resistencia y la fragilidad de comunidades y de hábitats.

Una condición para cuidar de algo es conocerlo. Si el Amazonas o Afganistán carecen de significado, ¿cómo se puede esperar que alguien se preocupe por la deforestación en aquella o el conflicto endémico en este? En su vida cotidiana, la mayor parte de la población mundial está profundamente entrelazada con otras partes del globo en varias cuestiones, que van del alimento que come y la ropa que viste a los sitios a los que accede en su ordenador y el aire que respira. Dar forma y sustancia a gentes y lugares de otras partes del mundo reduce la probabilidad de tratar a unas y otros como meras representaciones de videojuego, desprovistas de maravillas naturales o de origen humano o de personas de carne y hueso, pensantes e interesantes. Con este marco de referencia, la conciencia geográfica no es un mero lujo, sino algo esencial a una vida reflexiva, empática y responsable.

Por una vida más rica

La familiaridad con la geografía también es importante desde el punto de vista personal, pues una de sus potencialidades es la de estimular una conexión más estrecha de las personas con su entorno y enriquecer el significado de la vida. En todo el mundo, un número creciente de individuos pasa cada vez más tiempo con el teléfono móvil, trabajando o entreteniéndose con el ordenador, jugando a videojuegos y transmitiendo vídeos. Algunas de estas actividades pueden promover la conciencia y la comprensión del mundo, pero una excelente tira cómica de Gary Varvel pone en evidencia su aspecto negativo. En ella, un jovencito al que se lleva al aire libre declara: «¡Oh, esta pantalla ya la he visto en mis videojuegos!»[3]. La revolución tecnológica de las últimas décadas se ha producido a costa de la experiencia directa del medio tangible y del contacto cara a cara con otras personas. Apenas estamos comenzando a advertir las consecuencias de esta evolución, pero hay evidencias cada vez más contundentes de sus efectos negativos: la insensibilización al aspecto y el olor del medio, la reducción del espíritu de aventura y un incremento de la soledad y la depresión.

¿Dónde, en el mundo educativo de hoy, encuentra un estudiante estímulo para trepar a un árbol, mirar a su alrededor y preguntarse por el planeta y su lugar en el universo? ¿Dónde está el incentivo a maravillarse ante la

3. Cómic de Gary Varvel publicado el 23 de julio de 2007. Disponible en http://www.cartoonistgroup.com/store/add.php?iid=19562.

combinación de plantas que crecen en un prado cercano, a curiosear por calles y callejones, a explorar más allá de los sitios turísticos habituales en unas vacaciones, a internarse en un río, a mirar por la ventanilla de un avión en lugar de bajar inmediatamente la cortina o a pasar el tiempo en un barrio o un lugar que desafíen zonas de confort previamente arraigadas? No cabe duda de que siempre habrá personas que se sientan impulsadas a hacer tales cosas, pero la evidencia de la que disponemos sugiere que su número va disminuyendo[4].

La educación geográfica no puede por sí misma contrarrestar esta tendencia, pero puede producir un efecto beneficioso. Muchos cursos de geografía dedican una atención considerable a lo que el paisaje pueda decirnos de los procesos físicos y humanos, y algunos incluyen viajes al campo con el fin de mejorar la capacidad de observación de los estudiantes y su apreciación del entorno material. Iniciar a los estudiantes en la cartografía, los GIS y los cursos de teledetección puede estimular la reflexión sobre los modelos físicos y humanos y su exploración. El estudio de la geografía física puede incrementar el interés y mejorar la comprensión de todo, desde las causas del viento hasta las fuerzas que moldean la topografía de un lugar. La investigación de los temas de la geografía humana puede fomentar la curiosidad por los modelos culturales, la organización de las ciudades y los impactos paisajísticos de los procesos económicos

4. Véase, por ejemplo, Selin Kesebir y Pelin Kesebir, «How Modern Life Became Disconnected from Nature», *Greater Good Magazine*, 20 de septiembre de 2017. Disponible en https://greatergood.berkeley.edu/article/item/how_modernlife_became_disconnected_from_nature.

y sociales. Los trabajos prácticos que ponen el acento en las relaciones entre lo humano y el medio pueden promover la conciencia de cuestiones que van desde la influencia de la actitud respecto al medio ambiente en las decisiones sobre el uso de la tierra hasta las consecuencias potenciales de la construcción en zonas inundables. Los estudios geográficos de regiones lejanas pueden encender la chispa del interés por otros lugares y estimular a los estudiantes a ver por sí mismos cómo es la vida en otros sitios.

Lo decisivo es que la geografía, cuando se enseña bien, tiene capacidad para desafiar burbujas físicas y mentales que limitan el pensamiento y la experiencia. Como los griegos antiguos (entre otros) dejaron claro, la finalidad de la educación no se agota con la formación en habilidades prácticas (que la geografía ofrece en abundancia), pues también se propone aumentar el bienestar intelectual, social y psicológico, esto es, enriquecer la mente gracias al fomento de la curiosidad, la conciencia y la evaluación de cosas que de otro modo se darían por supuestas. Se puede caminar por una calle sin ver en ella otra cosa que un trayecto; pero cabe también la alternativa de mirar en derredor y reflexionar sobre las razones que hacen del paisaje lo que es, contemplar el estilo de los edificios y ponderar la mezcla de gentes que allí se encuentra. Se puede abrir un grifo simplemente para tener agua, pero es posible también preguntarse de dónde viene esa agua y si los hábitos comunes de utilización del agua son sostenibles. Se puede contemplar un valle y admirar la belleza de la escena, pero esta experiencia puede también invitar a pensar en cómo se formó el valle, por qué la vegetación es distinta en una falda que en la otra y en qué medida la ubicación particular del valle, en combinación con otras características físicas y modelos culturales, ha favorecido o impedido las migraciones humanas.

El desarrollo y la comprensión de la geografía, así como el reconocimiento de su valor, ayudan a adoptar la segunda alternativa en cada uno de los ejemplos anteriores. La adopción de esta alternativa es intelectualmente estimulante, puede inspirar el espíritu inquisitivo y favorecer una manera de vivir más reflexiva, más responsable. Por tanto, la geografía es una invitación al aprendizaje a lo largo de toda la vida, que es también uno de los principales objetivos de la educación en artes liberales.

Por el fortalecimiento de la sociedad civil y la gestión política

Como han demostrado los capítulos precedentes, no hay duda de que la perspectiva y el enfoque analítico de la geografía tienen mucho que aportar al esfuerzo por hacer frente a un buen número de apremiantes desafíos políticos, sociales, económicos y medioambientales. Sin embargo, si la conciencia geográfica se limitara a un pequeño grupo de sofisticados profesionales, las potenciales contribuciones de la disciplina a los procesos de gestión política –y a la construcción de un mundo mejor– se verían seriamente restringidas. Es poco probable que se pongan en marcha políticas efectivas inspiradas en la comprensión geográfica que se ha resumido en este libro sin la participación de un amplio abanico de científicos, funcionarios de gobierno, intelectuales públicos y otros profesionales que hayan tenido contacto con la disciplina y hayan adquirido hábitos de pensamiento geográfico, lo que equivale a decir sin la presencia de gente sensible a la importancia de prestar atención a las enseñanzas que ofrece la consideración de los modelos espaciales y las diferencias basadas en el contexto, las interconexiones en el espacio que afectan al desarrollo de los lugares, la dinámica entre naturaleza y sociedad y las maneras en que la contextualización geográfica de los problemas influye en su conceptualización. Estos son precisamente los tipos de hábitos mentales que la educación geográfica se propone cultivar.

La memoria que escribió en 1995 Robert McNamara, Secretario de Defensa de Estados Unidos de 1961 a 1968, demuestra la importancia de estos hábitos. McNamara atribuye en parte el desastre de Vietnam a la «profunda ignorancia de la historia, la cultura y la política del pueblo vietnamita» de la élite política norteamericana[5]. La creciente implicación del país en Vietnam durante los años sesenta del siglo pasado respondía a la creencia en que el efecto dominó era una metáfora perfecta de la Guerra Fría, creencia que convirtió la orientación comunista del régimen de Ho Chi Minh en foco único de atención. ¿Qué habría sucedido si se hubiera tenido más en cuenta el nacionalismo emergente en el Sudeste de Asia tras un siglo de colonialismo europeo y ocupación japonesa

5. Robert S. McNamara, *In Retrospect: The Tragedy and Lessons of Vietnam*, Nueva York, Times Books, 1995.

(cuestión que una observación de la geografía política de la región difícilmente habría dejado de advertir)? ¿Se habría producido en ese caso alguna revisión del significado de la Guerra Fría en relación con Vietnam? De la misma manera, ¿qué habría sucedido si los estrategas militares hubiesen hecho un esfuerzo por preguntarse cómo era la vida en una aldea en la que las grandes teorías geopolíticas carecían de sentido, pero en la que se veía a los soldados norteamericanos como los últimos agentes de la muerte y la destrucción? ¿Habría habido en ese caso alguna reconsideración de la misión y menos sorpresa ante la obstinación, la perseverancia y la tenacidad de quienes tomaban las armas contra soldados que para ellos eran invasores extranjeros? Nadie puede responder de manera definitiva a estas preguntas contrafácticas, pero no dejan de ser maneras de pensar sugerentes estimuladas por la educación geográfica.

Más recientemente hemos presenciado cambios trascendentales en el paisaje geopolítico: insurrecciones en Medio Oriente y terrorismo en nombre de una variante del islam, una Rusia renaciente y una China emergente, nueva atención al Ártico al hilo del cambio climático, crecientes dudas acerca de la fortaleza de la unidad europea y abruptos cambios políticos en países que van de Pakistán a Filipinas. Estos acontecimientos hunden también sus raíces en circunstancias geográficas concretas, son modelados por alianzas y relaciones de tipo comercial que afectan a la conexión de los lugares particulares con el resto del mundo (es decir, la situación geográfica) y se dan sobre el telón de fondo de diferentes concepciones sobre la manera en que la humanidad tendría que dividir y utilizar la superficie del planeta (esto es, diferencias en la comprensión geográfica). Los esfuerzos por afrontar estos cambios geopolíticos sin una perspectiva geográfica –sin ni siquiera un conocimiento básico de modelos geográficos– están inevitablemente llamados al fracaso.

En consecuencia, no debería limitarse la importancia de la formación en geografía de la élite gubernamental, política y científica. Una sociedad civil sólida depende de una población general informada e implicada. Si no se sabe nada de las evoluciones del sistema climático y de los principales cambios biofísicos que tienen lugar en la superficie terrestre, es muy difícil evaluar la veracidad de las afirmaciones según las cuales basta una ola de frío para negar el calentamiento climático. Sin una cierta conciencia de la situación geográfica de Corea del Norte en relación con sus vecinos es imposible calibrar las potenciales consecuencias de las respuestas militares y económicas a la actitud agresiva de los líderes del país. Una ignorancia geográfica extendida implica que no se verifiquen las engañosas declaraciones de las figuras públicas, los medios de comunicación, los blogueros y los que se presentan como expertos. (Piénsese en las afirmaciones que atribuyen la pérdida de empleos en determinados sectores a las regulaciones medioambientales o a los inmigrantes, haciendo caso omiso de la competencia de otros lugares y de las modificaciones que la mecanización y las innovaciones en el transporte han producido tanto en el lugar donde se producen los bienes como en la manera de producirlos.)

La educación geográfica puede aportar otra destacada contribución al terreno de lo público, la de mejorar la comprensión mutua. Esta afirmación podría parecer problemática si se piensa que en otra época la geografía estuvo al servicio de los intereses de las potencias coloniales, cuya finalidad era imponer, y luego mantener, la dominación de tierras lejanas. Sin embargo, en su modalidad moderna, la educación geográfica invita a reflexionar sobre qué significa ver el mundo como lo ven gentes que viven en diferentes lugares. Esta manera de pensar es un obstáculo para el vilipendio de otros pueblos y lugares, primer paso, y fundamental, para evitar conflictos.

Por una mayor comprensión y un mejor empleo de las tecnologías geoespaciales

En las últimas décadas se ha producido una revolución tecnológica con profundas raíces geográficas. Particularmente evidente es el uso de GIS, cada vez más generalizado en calidad de herramienta que facilita la planificación del uso de la tierra, la arquitectura paisajista y el diseño constructivo, la evaluación y la gestión medioambiental, el despliegue de los servicios de urgencia, la investigación académica de base espacial y muchas otras cosas. El GPS y los sitios informáticos de producción de mapas, como Google Maps y Microsoft Virtual Earth, han dado lugar a cambios fundamentales en la manera de obtener orientaciones espaciales y encontrar el camino al destino deseado. Otras aplicaciones en línea que ofrecen mapas hacen posible que cualquier persona que disponga de un ordenador contribuya con información geográfica a las bases de datos (llamadas Volunteered Geographic

Information o VGI [Información Geográfica Participativa])[6], actividad que enriquece la comprensión de circunstancias concretas de lugares remotos.

Estos desarrollos proporcionan otro convincente argumento a favor de la universalización de la educación geográfica, pues esta educación puede ayudar a que el público general esté preparado para comprender las ventajas y las limitaciones del medio ambiente del siglo XXI, impregnado de tecnología. Para comenzar con los GIS, dada la pujante expansión de su uso, las personas con habilidad en este dominio tienen muchas oportunidades laborales; por tanto, no es sorprendente que se incluya en tantos programas de enseñanza ajenos a la geografía. Sin embargo, la calidad y la utilidad de los análisis de los GIS están determinadas por los tipos de datos espaciales elegidos para el análisis, los criterios sobre el peso relativo que se asigne a cada nivel de datos y las decisiones acerca de la resolución de los datos propia de cada nivel. En estas condiciones, los resultados de los análisis de los GIS no son simples representaciones del «mundo real», sino (como se ha visto en el capítulo 2) el resultado de ideas y de juicios que es necesario examinar y evaluar constantemente.

Para pensar en los GIS de manera constructiva y crítica –con sus ventajas y sus limitaciones– hace falta una comprensión adecuada de los datos y del análisis en materia de espacio, una perspectiva crítica de los marcos espaciales y

6. La expresión fue creada por Michael Goodchild para describir la implicación del ciudadano particular en la creación, reunión y difusión de información. Michael Goodchild, «Citizens as Sensors: The World of Volunteered Geography», *GeoJournal*, 69:4, 2007, pp. 211-221.

sensibilidad a las maneras en que la elección de la escala puede influir en los resultados analíticos. En todos los casos, se trata de señales distintivas de una buena educación geográfica. Por supuesto, son cosas que pueden enseñarse fuera del currículo formal de geografía, pero raramente son objeto de igual atención y el mismo énfasis. El resultado típico de los análisis de los GIS son mapas que facilitan la comprensión de procesos y de opciones. Pero, desafortunadamente, muchos de esos mapas son difíciles de interpretar y poco atractivos visualmente. Sin embargo, en manos de personas con formación cartográfica y en diseño de mapas (componentes clave del currículo de la geografía desde hace mucho tiempo), su utilidad puede ser extraordinaria, incluso decisiva.

La lámina 9 es un mapa que presenta una imagen clara y sugerente de los corredores de vida salvaje de Wyoming. Elaborado en colaboración por geógrafos y biólogos de la naturaleza virgen, el mapa llamó la atención sobre las zonas críticas a largo plazo para la salud y la supervivencia de una especie importante. Objeto de amplia circulación y exhibido en un vídeo de gran difusión realizado conjuntamente con la Wyoming Wildlife Initiative[7], el mapa despertó la conciencia sobre la importancia de la protección de los corredores salvajes del Oeste de los Estados Unidos y es probable que ayudara a sentar las bases de una de las pocas políticas en pro del medio ambiente que vieron la luz en los primeros años del gobierno

7. El vídeo puede verse en el sitio web de la Wyoming Wildlife Initiative: http://migrationinitiative.org/content/red-desert-hoback-migration-assessment.

de Donald Trump en aquel país: una orden del Departamento de Interior que llamaba al estudio y la preservación de los corredores de migración de animales de caza mayor en los Estados occidentales del país[8]. La orden reclamaba específicamente estrategias de protección de la vida salvaje sobre la base de las anteriores iniciativas estatales en materia de migración, la más destacada y de mayor alcance de las cuales era precisamente la de Wyoming, con el respaldo de visualizaciones como la que se muestra en la lámina 9. Los profesionales de GIS con capacidad para producir visualizaciones geográficas eficaces están en mucho mejores condiciones para ejercer este tipo de influencia.

Volviendo al GPS y las plataformas informáticas de mapeo, no pasa un año en el que no se tenga conocimiento de personas a las que la orientación por medio de plataformas como Google Maps solo les sirvió para quedarse atascadas o perderse, cuando no algo peor. En el Reino Unido tenemos la historia de aquella señora de Leicestershire que, hace unos años, en camino a un bautismo obedeciendo ciegamente las indicaciones de su GPS, cogió un camino sinuoso y terminó atascada en un pantano. Consiguió salir de su Mercedes, pero perdió las 96.000 libras esterlinas de su valioso automóvil[9]. En un nivel más cotidiano, la tendencia a seguir mecánicamente las indicaciones de Google

8. US Department of the Interior, Order number 3362, 9 de febrero de 2018. Disponible en https://www.doi.gov/sites/doi.gov/files/uploads/so_3362_migration.pdf.

9. Andy Dolan, «£96,000 Merc Written Off as Satnav Leads Woman Astray», *Daily Mail*, 16 de marzo de 2007. Disponible en http://www.dailymail.co.uk/news/article-442730/96-000-Merc-written-satnav-leadswoman-astray.html.

Maps puede llevar a que, desprevenido, un ciclista que circule un húmedo atardecer por Londres hacia el oeste se meta en un camino de sirga mal iluminado y a menudo atestado de gente, particularmente destacado en el mapa por su atractivo para los turistas en las agradables tardes del fin de semana.

En ausencia de educación geográfica es fácil pensar que los mapas son expresiones de la verdad y no representaciones de información temporal específica y expuesta a errores, de la misma manera que cualquier otra información de origen humano. Los distintos tipos de mapas son hoy, afortunadamente, mucho más comunes que hace una generación, dado que en un medio informático resulta mucho más fácil realizarlos y manipularlos. Sin embargo, su mera omnipresencia eleva la apuesta de la educación geográfica. Los programas de estudio de cinematografía surgieron cuando se generalizaron la producción y el visionado de películas. Los programas de estudio de informática florecieron tras la revolución del ordenador personal. Hoy, con los mapas tan incorporados a la vida cotidiana, hay una evidente necesidad de ampliar la valoración de la cartografía, no solo por su utilidad como herramienta que facilita la comunicación, sino también por su función sensibilizadora a las opciones y los prejuicios que encierra el diseño de mapas (como se ha analizado en el capítulo 2).

La educación geográfica también puede contrarrestar uno de los aspectos negativos de la extendida costumbre de emplear el GPS para desplazarse en los medios urbanos y en el campo. Aunque es útil, el GPS centra la atención únicamente en un trayecto y no en la organización de conjunto del paisaje y el lugar que el trayecto ocupa en él. La mayoría de las informaciones del GPS no muestran nada de la topografía ni dicen nada acerca de la ubicación de un destino determinado en relación con otros lugares de posible interés. Por tanto, desalientan la consideración del contexto circundante[10]. Pese a toda su especificidad geográfica, pueden operar en contra de la comprensión geográfica. La familiaridad con la geografía promueve la conciencia de estas limitaciones y alienta los esfuerzos por superarlas (cogiendo un antiguo mapa de carreteras, consultando un atlas, utilizando el zum en un entorno en línea, etc.).

Tras el desarrollo de las plataformas informáticas de mapeo, como Wikimapia.org, MapAction.org y OpenStreetMap.org, hay cada vez más personas no profesionales que contribuyen con informaciones geográficas (VGI) que colman importantes lagunas de nuestro conocimiento. Esas contribuciones ya cumplen un significativo papel en situaciones de desastre (al colaborar con los servicios de urgencia en la localización precisa del sitio al que han de acudir después de un terremoto), en ayuda humanitaria (al proporcionar información acerca de los patrones de movimiento de los refugiados y de los lugares en los que son más necesarias las remesas de ayuda) y en el control de la salud pública (al facilitar información rápida sobre la localización precisa de brotes de enfermedades). Es probable que cuanto mayor sea el número de personas familiarizadas con la geografía y las tecnologías

10. John Edward Huth, *The Lost Art of Finding Our* Way, Cambridge, MA, Harvard University Press, 2013.

geoespaciales, mayor sea su deseo de contribuir a ese tipo de esfuerzos.

A pesar de estas potencialidades, las tecnologías espaciales también presentan importantes problemas de privacidad. La mayor parte de la gente que accede a la tecnología informática y a tarjetas de crédito deja una sustanciosa huella de información geocodificada que permite a las agencias gubernamentales y a las compañías de mercadotecnia construir vastas bases de datos de información personal. Los individuos pueden ser objeto de un seguimiento del que ellos no tienen conocimiento y convertirse en blanco de publicidad de productos que no desean. Esa comprometedora información acerca de sus pautas de actividad puede volverse contra ellos. Para contrarrestar las consecuencias de este estado de cosas –y diseñar protocolos encriptados que reduzcan los riesgos de abuso– se requerirá un mayor conocimiento de cuáles son las amenazas más significativas para la privacidad humana y cómo pueden configurarse las tecnologías geoespaciales con el fin de proteger información sensible. Una vez más, se advierte el gran alcance de la educación en geografía, pues producirá un tipo de personas imbuidas de mentalidad geográfica y con pericia en el funcionamiento de las tecnologías geoespaciales para afrontar estos problemas.

Conclusión

La educación tiene muchas finalidades, entre las que se encuentran las de impartir el conocimiento y las habilidades necesarios para mejorar la sociedad, capacitando a los estudiantes para su adaptación a un mundo que cambiará a lo largo de su vida, dotándola de sentido. La geografía tiene importantes contribuciones que realizar en todos estos casos. En efecto, ofrece perspectivas críticas sobre la organización y la naturaleza del mundo circundante, a la vez que permite a las personas comprender las tecnologías que afectan a su vida. La geografía brinda visiones que ayudan a entender los cambios que se producen en el entorno y a utilizar las herramientas para evaluar tales cambios y adaptarse a ellos. Además, abre los ojos y la mente a la riqueza y la maravilla del mundo circundante, realza la conciencia de la existencia de –y, por extensión, el compromiso con– lugares y entornos peculiares y fomenta la curiosidad, valiosa por sí misma. En resumen, la geografía es esencial para encontrar sentido a este nuestro mundo, cada vez más interconectado, poblado, frágil desde el punto de vista medioambiental y en rápida transformación.

Coda

Los últimos dos mil años han contemplado cambios muy importantes en la geografía del planeta. Las erupciones volcánicas han borrado prácticamente del mapa ciertas islas y han añadido sustanciales masas de tierra a otras. Un período medieval de calor alteró la biogeografía de Europa y creó las condiciones para el cultivo de cereales en latitudes más septentrionales. Las innovaciones en el diseño de las embarcaciones llevaron a un intercambio masivo de personas y de bienes entre el hemisferio occidental y el oriental, así como a la aniquilación de una parte considerable de la población del primero. La aparición del ferrocarril, y más tarde la del automóvil, impulsó enormes cambios demográficos, transformó el tamaño y la distribución de las áreas urbanas y cambió la organización espacial de la producción y el consumo.

Hay mucho que aprender de los cambios geográficos de los dos mil años que han dado lugar al mundo contemporáneo, pero no podemos conformarnos con esto. Muchos de esos cambios se produjeron a lo largo de muchas décadas, cuando no de siglos. Hoy vivimos en un mundo en el que se experimentan cambios importantes en intervalos de tiempo mucho más cortos, y todo parece indicar que en las próximas décadas el ritmo del cambio se acelerará. El medio ambiente cambia a ojos vistas, el mapa geopolítico se modifica de un momento a otro, las ciudades explosionan, las conexiones entre las personas y los lugares están en proceso de renovación y el desarrollo y la difusión de nuevas tecnologías alteran a gran velocidad nuestra manera de vivir, de relacionarnos socialmente y hasta de pensarnos y de concebir nuestro entorno.

La comprensión de los cambios que tienen lugar en la actualidad, por no hablar de su abordaje constructivo, requerirá un enorme esfuerzo en muchos frentes. Pero no hay duda de que la geografía deberá ser un factor importante en ese esfuerzo, pues lo que se está transformando es precisamente la geografía del planeta. Los datos sobre las transformaciones que se están produciendo nos desbordan, pero no podemos esperar dominarlos si el grueso de la población carece de auténtica sensibilidad a la naturaleza de la geografía de la Tierra y a los cambios que en ella se están produciendo, si los estudiantes y los especialistas no disponen de las perspectivas analíticas y las herramientas necesarias para evaluar la evolución de la organización espacial y las características materiales de los lugares y las regiones, y si los responsables políticos y los planificadores no están preparados para reflexionar sobre los problemas con criterio geográfico, lo que quiere decir pensar los modelos geográficos con conocimiento y espíritu crítico, considerar por qué las cosas suceden donde suceden y analizar de qué manera el contexto geográfico influye en lo que ocurre.

Piénsese en la importancia que habrán de revestir el pensamiento y la comprensión geográficos en el esfuerzo por afrontar solo un aspecto de la revolución de la movilidad a la que se ha aludido en el capítulo 2: la sustitución, en el próximo cuarto de siglo, de la mayor parte de los coches y camiones tradicionales por vehículos eléctricos, conectados, automáticos y compartidos (CASE). Estamos a punto de ver las calles colmadas de vehículos compartidos y monitorizados digitalmente que se desplazan por carriles más angostos que los que se usan actualmente en calles sin bordillos. Aun cuando las predicciones del sector tecnológico disten mucho de ser rigurosas, es seguro que cada vez tendrá menos sentido económico poseer un automóvil, mientras que habrá nuevos vehículos más seguros y más fáciles de mantener que los convencionales de hoy en día.

Es evidente que las repercusiones de estas trasformaciones serán de primer orden. Las calzadas y las aceras cambiarán de aspecto, la mayoría de las gasolineras desaparecerán, la industria del automóvil sufrirá una transformación radical y la industria petrolera se reducirá drásticamente. Pero si nos detenemos en esto (y, desgraciadamente, la mayor parte de las discusiones acerca de los CASE se detienen en esto) solo tendremos una comprensión limitada de lo que se avecina.

Un simposio de la American Geographical Society sobre el futuro de la movilidad que tuvo lugar en la Universidad de Columbia en 2017 llamó la atención sobre las consecuencias de amplio espectro y a largo plazo de los CASE y las transformaciones con ellos relacionadas, como los cambios en la organización del transporte público, el uso del suelo, las finanzas municipales, la calidad del aire, las oportunidades de empleo, los modelos de crecimiento urbano, las interconexiones directas entre los diferentes lugares, etc. Estos cambios también llevan en sí la potencialidad de producir modificaciones fundamentales en la organización espacial de las ciudades, que afectarán a los patrones de riqueza y pobreza, la organización de las actividades económicas, la composición demográfica y étnica de los barrios, los modelos de actividad cotidiana de la gente e incluso su sentido del lugar. Dado que cada una de estas cuestiones es de índole esencialmente geográfica, las perspectivas y las herramientas geográficas analizadas en este libro serán imprescindibles para entenderlas y modelar su desarrollo de manera constructiva.

Para captar la naturaleza de los cambios por venir, y con mayor razón para anticiparlos, serán necesarias la sensibilidad a la geografía evolutiva del planeta y la capacidad para pensar con mentalidad geográfica. Es sencillamente inadmisible andar por la vida a tropezones por padecer ceguera geográfica y, en consecuencia, no prestar suficiente atención a la organización y la interconexión de personas, medios y lugares, ni cultivar la capacidad para pensar cuidadosa y críticamente sobre dónde suceden las cosas y por qué suceden donde suceden, así como sobre la influencia del contexto geográfico en los procesos medioambientales y en los asuntos humanos. Tan cruciales serán estas cuestiones para surcar el siglo XXI que la comprensión de la geografía y de su valor no debería considerarse un lujo, sino un factor esencial en el esfuerzo por lograr un planeta más vivible, justo, sostenible y en paz.

Lecturas complementarias

Aunque es casi imposible encerrar en una breve lista de «lecturas complementarias» toda la amplitud y toda la vitalidad de la geografía, la bibliografía que se menciona a continuación dará a los lectores no especialistas una visión más profunda de lo que significa mirar el mundo a través de una lente geográfica. Los títulos están agrupados en tres grandes categorías: libros generales sobre geografía escritos por geógrafos profesionales, libros de geógrafos que se ocupan de temas geográficos particulares y libros de no geógrafos que piensan con mentalidad geográfica.

Libros de carácter general escritos por geógrafos sobre la naturaleza de la geografía

Danny Dorling y Carl Lee, *Geography*, Londres, Profile Books, 2016.

Escrito por dos distinguidos geógrafos británicos, este libro examina la manera en que la geografía refleja la globalización, la desigualdad y la sostenibilidad, a la vez que les da forma. Con comentario adicional sobre las tradiciones de la disciplina y lo que puede decirnos del futuro, el libro ofrece un valioso resumen del carácter esencial de la geografía y de sus ambiciones.

Susan Hanson (ed.), *Ten Geographic Ideas that Changed the World*, New Brunswick, NJ, Rutgers University Press, 1997.

Este libro, más que ofrecer una visión de conjunto de la geografía, dedica un capítulo a cada uno de diez conceptos y prácticas geográficos de gran influencia. Interesantes ensayos sobre temas como los mapas, el sentido del lugar y la adaptación humana demuestran las contribuciones de la geografía a la comprensión humana.

National Research Council, *Rediscovering Geography: New Relevance for Science and Society*, Washington, D. C., National Academies Press, 1997.

Escrito tras la huella del creciente reconocimiento de la importancia de la geografía, este libro ofrece un resumen informativo de los tipos de pensamiento, la investigación y las herramientas que brinda la geografía para el estudio de problemas cruciales que afronta la sociedad. Contribuyó a elevar la imagen de la geografía en Estados Unidos y sentó las bases para los consiguientes estudios de las National Academies (véase, por ejemplo, la nota 2 del capítulo 1).

Estudios de geógrafos sobre temas específicos

Harm J. de Blij, *Why Geography Matters More Than Ever*, Oxford, Oxford University Press, 2012.

En una prosa viva y amena, Harm de Blij argumenta que la geografía ofrece una ventana importante a los problemas globales, que van desde el cambio climático hasta el surgimiento de China y las convulsiones en Oriente Medio. El libro pone también de relieve el modo en que la situación geográfica continúa afectando a la vida y los destinos de la gente en todo el mundo, tema básico de uno de sus libros anteriores (*The Power of Place: Geography, Destiny, and Globalization's Rough Landscape*, Oxford, Oxford University Press, 2008), que representa el contrapunto al postulado del mundo plano de Thomas Friedman (véase capítulo 2, nota 2).

Mona Domosh y Joni Seager, *Putting Women in Place: Feminist Geographers Make Sense of the Word*, Nueva York, Guilford Press, 2001.

Este lúcido libro llama la atención sobre la miríada de maneras en que el pensamiento y las prácticas de género conforman las disposiciones y la comprensión en geografía. El libro ayuda a alejar a la geografía de su orientación machista, de tan larga data, al tiempo que la vastedad de su alcance histórico y geográfico asegura la constante relevancia del volumen.

Andrew Goudie y Heather Viles, *Landscape and Geomorphology: A Very Short Introduction*, Oxford, Oxford University Press, 2010.

Los destacados geógrafos físicos Goudie y Viles ofrecen un animado resumen informativo de la evolución del paisaje físico, incluidos, junto a la superficie terrestre, los fondos marinos, Marte y Titán. Su especial atención al papel de interesantes fuerzas en el cambio del paisaje –geológicas, climatológicas y humanas– hace patente lo que significa contemplar el mundo físico a través de una lente geográfica.

Martin W. Lewis y Kären Wigen, *The Myth of Continents: A Critique of Metageography*, Berkeley, University of California, 1997.

Lewis y Wigen exponen las supuestas divisiones que a menudo se emplean para entender el mundo. Retan a los lectores a que piensen atenta y críticamente en los supuestos geográficos subyacentes a las maneras de dividir el mundo, mostrando en el proceso por qué es tan importante pensar con mentalidad geográfica.

Mark Monmonier, *How to Lie with Maps*, segunda edición, Chicago, University of Chicago Press, 2014.

En esta actualización de un libro clásico, Monmonier ofrece una profunda y atractiva evaluación del uso y abuso de los mapas. La obra desafía a los lectores a tratar los mapas como el resultado de ideas, perspectivas y prejuicios, no simplemente como representaciones objetivas de la realidad.

Laurence C. Smith, *The World in 2050*: *Four Forces Shaping Civilization's Northern Future*, Nueva York, Dutton, 2010; en Gran Bretaña se editó con el título *The New North: The World in 2050*, Londres, Profile Books, 2012.

Empleando las herramientas y técnicas de la geografía para mirar hacia el futuro, Smith se ocupa de la manera en que los problemas demográficos, medioambientales y de recursos darán forma al Ártico (y a otros lugares) en las próximas décadas. El libro proporciona un magnífico ejemplo de cómo la sensibilidad integradora de un geógrafo especializado en hidrología, glaciología y teledetección puede llevar a un pensamiento más amplio y más sintético de nuestro planeta.

Yi-Fu Tuan, *Space and Place: The Perspective of Eperience*, Minneapolis, University of Minnesota Press, 1977.

En esta fecunda contribución, que promovió la conciencia de la dimensión humanística de la geografía, Tuan muestra con gran habilidad que las dos preocupaciones nucleares de la geografía –espacio y lugar– no son simples fenómenos a modelar y describir en abstracto, sino fundamentales para la experiencia humana, y que como tales es preciso entenderlas.

Estudios geográficos de no geógrafos

Jared Diamond, *Guns, Germs, and Steel: The Fates of Human Societies*, Nueva York, W. W., Norton & Co., 1997.

Notable esfuerzo, aunque controvertido, por mostrar que el éxito comparativo de las diferentes civilizaciones no es tanto el resultado de diferencias intelectuales o morales como la consecuencia de la diversidad de los respectivos contextos geográficos.

David R. Montgomery, *Dirt: The Erosion of Civilizations*, Berkeley, University of California Press, 2012.

Amplio panorama de la relación entre suelo y civilizaciones, en el que se muestra que el uso, y el mal uso, que estas han hecho del suelo ha producido la degradación de uno de los dones más importantes de la Tierra.

Saskia Sassen, *The Global City; New York, London, Tokyo*, segunda edición, Princeton, Princeton University Press, 2001

[*La ciudad global: Nueva York, Londres, Tokio*, Buenos Aires, Eudeba, 1999].

Análisis con sensibilidad geográfica de la manera en que las redes, los flujos financieros y la movilidad laboral están modelando el desarrollo de las ciudades globales, con consecuencias para la forma urbana, la estabilidad social y la sostenibilidad.

Andrea Wulf, *The Invention of Nature: Alexander von Humboldt's New World*, Nueva York, Knopf, 2015 [*La invención de la naturaleza. El nuevo mundo de Alexander von Humboldt*, Madrid, Taurus, 2016].

Penetrante relato de la vida y la obra de uno de los padres de la moderna disciplina de la geografía.

Créditos de las ilustraciones

Figuras

1. Reproducción autorizada de National Research Council, *Rediscovering Geography: New Relevance for Science and Society*, Washington, DC, National Academies Press, 1997, p. 29.
2. Modificación a partir de Kimberly Lanegran y David Lanegran, «South Africa's National Housing Subsidy Program and Apartheid's Urban Legacy», *Urban Geography*, 22:7, 2001, p. 678.

Láminas

1. Sobre la base de datos del United Nations Environment Program and DIVA-GIS.
2. Modificación a partir de P. J. Bartlein, S. P. Harrison y K. Izumi, «Underlying Causes of Eurasian Mid-Continental Aridity in Simulations of Mid-Holocene Climate», *Geophysical Research Letters*, 44:17, 2017, 9022.
3. Figura creada originariamente por Alexander B. Murphy y Nancy Leeper para *Geographical Approaches to Democratization: A Report to the National Science Foundation* (impreso por la University of Oregon Press para el Geography and Regional Science Program, National Science Foundation, 1995).
4. Reproducción autorizada de D. J. Weiss, A. Nelson, H. S. Gibson, W. Temperley, S. Peedell, A. Lieber, M. Hancher, E. Poyart, S. Belichior, N. Fullman, B. Mappin, U. Dalrymple, J. Rozier, T. C. D. Lucas, R. E. Howes, L.S. Tusting, S.Y. Kang, E. Cameron, D. Bisanzio, K.E. Battle, S. Bhatt y P.W. Gething, «A Global Map of Travel Time to Cities to Assess Inequalities in Accessibility in 2015», *Nature*, 533, 2018, p. 334.

5. Modificación a partir de Richard Edes Harrison, *Fortune Atlas for World Strategy*, Nueva York, Alfred A. Knopf, 1944, pp. 8-9.
6. Modificación a partir de Kai Frause, *The True Size of Africa*, 2010. Accesible en http://kai.sub.blue/en/afrca.html.
7. Reproducción autorizada de K. O'Brien, R. Leichenko, U. Kelkar, H. Venema, G. Aandahl, H. Tompkins, A. Javed, S. Bhadwal, S. Barg, L. Nygaard y J. West, «Mapping Vulnerability to Multiple Stressors: Climate Change and Globalization in India», *Global Environmental Change*, 14:4, 2004, p. 307.
8. Mapa de Derek Watkins que apareció, junto con Andrew E. Kremer y Andre Higgins, en «Ukraine's Forces Escalate Attacs Against Protesters», *New York Times international*, 21 de febrero, pp. A-1 y 11. Reproducción autorizada, © New York Times.
9. Reproducción autorizada de Matthew J. Kauffman, James E. Meacham, Alethea Y. Steingisser, William J. Rudd y Emiliene Ostlind, *Wild Migrations: Atlas of Wyoming's Ungulates,* Corvallis, OR, Oregon State University Press, 2018, p. 139, © 2018 University of Wyoming and University of Oregon.

Índice analítico